JĘZYK POLSKI
W MEDYCYNIE
A GUIDE TO POLISH
IN MEDICAL
PRACTICE

MAGDALENA ŁAWNICKA-BOROŃSKA

JĘZYK POLSKI W MEDYCYNIE
A GUIDE TO POLISH IN MEDICAL PRACTICE

ABC
a Wolters Kluwer business

Warszawa 2013

Wydawca
Izabella Małecka

Redaktor prowadzący
Marta Kamińska

Redakcja, korekta i skład
Studio Mediana – www.studiomediana.pl

Projekt graficzny okładki
Studio Kozak

Zdjęcie wykorzystane na okładce
© *iStockphoto.com/simon askham*

ISBN 978-83-264-4029-8

Wydane przez:
Wolters Kluwer Polska SA

Redakcja Książek
01-231 Warszawa, ul. Płocka 5a
tel. 22 535 82 00, fax 22 535 81 35
e-mail: ksiazki@wolterskluwer.pl

www.wolterskluwer.pl
księgarnia internetowa www.profinfo.pl

Spis treści

Table of contents

Przedmowa

Język polski w medycynie to praktyczne kompendium polskiego słownictwa medycznego przeznaczone głównie dla obcokrajowców studiujących nauki biomedyczne w Polsce. Formą w pewnym stopniu przypomina leksykon i również w ten sposób można się nim posługiwać. Moim celem było napisanie przewodnika przyjaznego studentom, nieograniczającego się do przedstawienia słownictwa, lecz również zawierającego leksykę w praktycznej komunikacji medycznej. Przewodnik nie jest specjalistycznym podręcznikiem medycznym.

Studenci obcojęzyczni studiujący na polskich uczelniach medycznych nabywają wiedzę zawodową w języku angielskim, jednak znajomość polskiego słownictwa medycznego staje się niezbędna na klinicznym etapie edukacji, w kontakcie z pacjentami i personelem szpitala, podczas zapoznawania się z dokumentacją medyczną.

Znajomość języka polskiego wśród tej grupy studiujących jest zasadniczo różna, niektórzy pochodzą z polskich środowisk, inni ukończyli krótkie kursy języka polskiego. W niniejszym przewodniku starano się te różnice uwzględnić, pamiętając również, że jego Czytelnicy mogą pochodzić z wielu stron świata i operować językiem angielskim w różnych jego odmianach.

Układ graficzny książki umożliwia szybkie wyszukanie interesującego materiału i wspomaga jego proces przyswojenia.

Całość zaprezentowano równolegle w dwóch językach: polskim i angielskim, z użyciem najbliższych odpowiedników, jednak nie są to zawsze wyrażenia równoważne.

Poszczególne fragmenty przewodnika mogą być wykorzystywane w dowolnej kolejności, zarówno w nauczaniu zorganizowanym, jak i samodzielnie.

Materiał książki zawarty w 10 rozdziałach obejmuje kolejno następujące moduły: słownictwo anatomiczne, choroby i objawy z dodatkowym słownictwem medycznym, części koncentrujące się na komunikacji z pacjentem (zbieranie wywiadu), diagnostyka, opisy chorób i przypadków, informacje dotyczące lekarstw i roślin leczniczych używanych w leczeniu.

W publikacji zawarto także słownictwo z zakresu uniwersyteckiego, zaprezentowano kwestie językowe związane z personelem medycznym i ośrodkami służby zdrowia, z którymi Czytelnik być może zetknie się w pracy zawodowej.

W aneksie znajdują się praktyczne informacje dotyczące przeliczania jednostek, pierwiastków, wyrażeń potocznych i dokumentacji medycznej.

Ostatnie rozdziały stanowią wyzwanie dla tych, którzy chcieliby wzbogacić swój język polski w następujących zakresach: wymowy (od alfabetu po łamańce językowe), leksyki (porównania i idiomy) i nauki polskiej (charakterystyki postaci Polaków zasłużonych dla medycyny – lekarzy i uczonych polskiego pochodzenia).

Pisząc tę pozycję, korzystałam z licznych cennych uwag zarówno osób uczących języka medycznego, moich byłych studentów, jak i praktykujących lekarzy. Składam im wszystkim serdeczne podziękowania: bez nich, bez pomocy i wsparcia rodziny, ta książka nigdy by nie powstała.

Jednocześnie, zdając sobie sprawę z własnych niedociągnięć, zachęcam do dzielenia się konstruktywnymi uwagami. Proszę je kierować na adres: guidetopolishinmedicalpractice@gmail.com.

Preface

A Guide to Polish in Medical Practice is a practical compendium of Polish medical vocabulary meant mainly for foreign biomedical students in Poland. To some extent it resembles a lexicon in its form; in fact, one can use it this way. My objective was to write a student-friendly guide, not restricted to presentation of vocabulary, but implementing the lexis in practical medical communication.

This guide is not a medical textbook, students acquire medical knowledge in English. However, medical Polish is indispensable during residency in order to communicate with patients and hospital staff, and read medical records.

The knowledge of Polish varies dramatically among students as some come from a Polish background, others complete short Polish language courses, hence the language divergence you can see in this guide. The Readers' geographical diversity justifies the use of several varieties of English.

The layout enables the Reader to find the content they need quickly and facilitates memorization.

The whole book is written in two languages side-by-side: Polish and English with the use of the nearest substitutes, however they are not always equivalent expressions. Individual sections of the guide can be used in any sequence, both in a language course or for self-study.

The ten parts of the book comprise, in the given order, the following modules: the language of anatomy, diseases and manifestations with additional medical vocabulary, sections focusing on communication with patients (taking history), diagnostics, diseases and case presentation, information concerning drugs and medicinal herbs used in treatment.

The publication also contains academic vocabulary, and I present the vocabulary related to medical personnel and healthcare institutions that the Reader may encounter in their professional work. In the appendix, there is some practical information about unit conversions, elements, colloquialisms, and medical records.

The very last chapters are a challenge for those who would like to polish their Polish in: pronunciation (from the alphabet to tongue twisters), vocabulary (comparisons and idioms) and culture (profiles of distinguished Poles in medicine).

When writing this book I took advantage of numerous, valuable remarks from Medical English/Polish teachers, my former students and practicing doctors. I would like to thank them cordially; without them, without my family's help and support, this book would never have been written.

However, being fully aware of the discrepancies that the Reader may come across, I welcome any constructive critical remarks. Feel free to send them to: guidetopolishinmedicalpractice@gmail.com.

Rozdział 1

Układy – budowa, choroby, objawy
Systems – structure, diseases, manifestations

Części ciała
Parts of the body

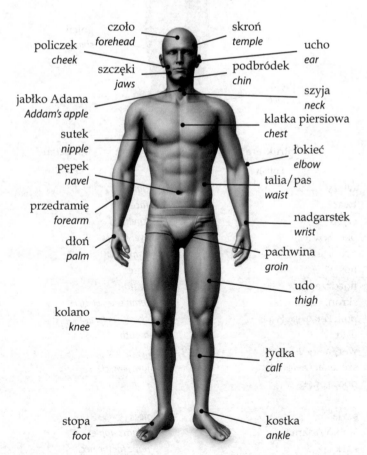

czoło — *forehead*
skroń — *temple*
policzek — *cheek*
ucho — *ear*
szczęki — *jaws*
podbródek — *chin*
jabłko Adama — *Addam's apple*
szyja — *neck*
klatka piersiowa — *chest*
sutek — *nipple*
łokieć — *elbow*
pępek — *navel*
talia/pas — *waist*
przedramię — *forearm*
nadgarstek — *wrist*
dłoń — *palm*
pachwina — *groin*
udo — *thigh*
kolano — *knee*
łydka — *calf*
stopa — *foot*
kostka — *ankle*

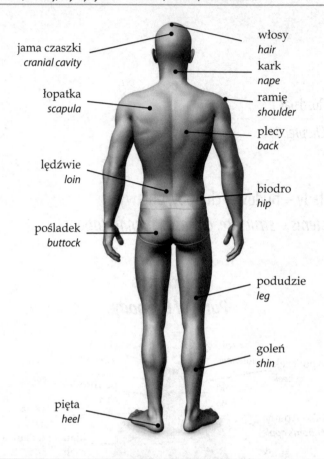

jama czaszki
cranial cavity

łopatka
scapula

lędźwie
loin

pośladek
buttock

pięta
heel

włosy
hair

kark
nape

ramię
shoulder

plecy
back

biodro
hip

podudzie
leg

goleń
shin

Struktura	*Structure*
Polish	English
• włosy	• *hair*
• twarz	• *face*
• czoło	• *forehead*
• oko, oczy (pl.)	• *eye, eyes (pl.)*
• ucho, uszy (pl.)	• *ear, ears (pl.)*
• nos	• *nose*
• nozdrza	• *nostrils*
• skroń, skronie (pl.)	• *temple, temples (pl.)*
• policzek, policzki (pl.)	• *cheek, cheeks (pl.)*
• usta	• *mouth*
• warga, wargi (pl.)	• *lip, lips (pl.)*
• szczęka, szczęki (pl.)	• *jaw, jaws (pl.)*
• podbródek	• *chin*
• szyja	• *neck*
• jabłko Adama	• *Adam's apple*
• kark	• *nape (of the neck)*

Głowa *Head*

Tułów *Trunk*		
	• klatka piersiowa	• *chest, thorax*
	• śródpiersie	• *mediastinum*
	• mostek	• *sternum*
	• pierś, piersi (pl.)	• *breast, breasts (pl.)*
	• brodawka sutkowa, sutek	• *nipple*
	• otoczka brodawki	• *areola*
	• plecy	• *back*
	• łopatka	• *shoulder blade, scapula*
	• przepona	• *diaphragm*
	• pępek	• *navel, umbilicus*
	• talia, pas	• *waist*
	• lędźwie	• *loin*
	• biodro	• *hip*
	• pośladek, pośladki (pl.)	• *buttock, buttocks (pl.)*
	• pachwina	• *groin*
	• łono	• *pubis*
	• penis	• *penis*
	• moszna	• *scrotum*

Kończyna górna, ręka *Upper limb, hand*		
	• obojczyk	• *clavicle*
	• łopatka	• *shoulder blade, scapula*
	• ramię	• *shoulder*
	• łokieć	• *elbow*
	• przedramię	• *forearm*
	• nadgarstek	• *wrist*
	• dłoń, dłonie (pl.)	• *palm, palms (pl.)*
	• kostka ręki	• *knuckle*
	• kciuk, kciuki (pl.)	• *thumb, thumbs (pl.)*
	• palec, palce (pl.)	• *finger, fingers (pl.)*
	• paznokieć, paznokcie (pl.)	• *nail, nails (pl.)*

Kończyna dolna, noga *Lower limb, leg*		
	• pachwina	• *groin*
	• udo	• *thigh*
	• kolano	• *knee*
	• podudzie	• *lower leg*
	• goleń, golenie (pl.)	• *shin, shins (pl.)*
	• łydka, łydki (pl.)	• *calf, calves (pl.)*
	• kostka, staw skokowy, kostki, stawy skokowe (pl.)	• *ankle, ankles (pl.)*
	• stopa, stopy (pl.)	• *foot, feet (pl.)*
	• pięta, pięty (pl.)	• *heel, heels (pl.)*
	• podeszwa	• *sole*
	• paluch, paluchy (pl.)	• *big toe, big toes (pl.)*
	• palec, palce (pl.)	• *toe, toes (pl.)*
	• paznokieć, paznokcie (pl.)	• *toe nail, toe nails (pl.)*

Jamy ciała *Cavities of the body*		
	• jama czaszki	• *cranial cavity*
	• jama ustna	• *oral cavity*
	• jama nosowa	• *nasal cavity*
	• jama klatki piersiowej	• *thoracic cavity*

	• jama brzuszno-miednicza
	  jama brzuszna
	  jama miednicza
		• *abdominopelvic cavity*
		  abdominal cavity
		  pelvic cavity

Skóra
Skin

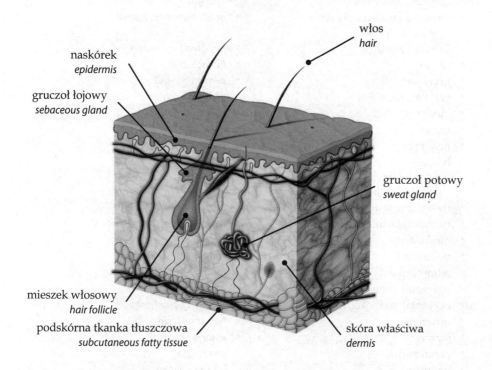

włos
hair

naskórek
epidermis

gruczoł łojowy
sebaceous gland

gruczoł potowy
sweat gland

mieszek włosowy
hair follicle

podskórna tkanka tłuszczowa
subcutaneous fatty tissue

skóra właściwa
dermis

Struktura	*Structure*
Polish	English
• naskórek	• *epidermis*
nabłonek	*epithelium*
melanina	*melanin*
• skóra właściwa	• *dermis*
gruczoły	*glands*
potowe	*sweat*
sutkowy	*mammary*
łojowy	*sebaceous*
• tkanka podskórna	• *hypodermis*
podskórna tkanka tłuszczowa	*subcutaneous fatty tissue*
mieszek włosowy	*hair follicle*
• włos, włosy (pl.)	• *hair*
• paznokieć, paznokcie (pl.)	• *nail, nails (pl.)*

Choroby, urazy	*Diseases, disorders, defects, injuries*
Polish	English
• albinizm, bielactwo	• *albinism*
• atopowe zapalenie skóry (AZS) egzema, wyprysk	• *atopic dermatitis, eczema*
• czerniak złośliwy	• *malignant melanoma*
• czyrak	• *furuncle, boil*
• grzybica	• *dermatomycosis*
• grzybica paznokci	• *onychomycisis*
• hirsutyzm	• *hirsutism*
• łupież	• *dandruff*
• łuszczyca	• *psoriasis*
• łysienie plackowate po zatruciach	• *alopecia a. areata toxic a.*
• nadmierna kruchość paznokci	• *onychorrhexis (brittle nails)*
• nawracające infekcje opryszczki	• *recurrent herpes simplex infection*
• nowotwory	• *neoplasm*
• odleżyna	• *bedsore, pressure ulcer*
• odmrożenie	• *frostbite*
• ogryzanie paznokci	• *onychotillomania*
• ogryzanie paznokci, onychofagia	• *nail biting, onychophagia*
• oparzenia	• *burns and scalds*
• otarcie	• *abrasion, graze*
• pemfigoid	• *pemphigoid*
• pokrzywka	• *urticaria, nettle rash, hives*
• poszarpanie, uszkodzenie	• *laceration, tear*
• potówki	• *miliaria, sweat rash*
• rak kolczystokomórkowy	• *squamous cell carcinoma*
• rak podstawnokomórkowy	• *basal cell carcinoma*
• rana	• *wound, injury*
• rumień	• *erythema*
• rybia łuska	• *fish skin disease*
• siniak	• *brusie, ecchymosis*
• skaleczenie	• *cut*
• stłuczenie	• *contusion, bruising*
• świerzb	• *scabies*
• toczeń	• *lupus*
• trądzik	• *acne*
• wyprysk kontaktowy alergiczny	• *contact dermatitis*
• zadrapanie	• *scratch, abrasion*
• zanokcica	• *onychia*
• zapalenie mieszków włosowych	• *folliculitis*
• zapalenie skóry	• *dermatitis*
• zastrzał	• *whitlow*

- zespół Blaua
- zespół paznokieć-rzepka
  (choroba Fonga)

- *Blau syndrome*
- *nail–patella (Fong) syndrome*

Objawy	Symptoms and lesions
Polish	English
białe chmurki paznokcia	*leukonychia, white nails*
blizna	*scar, cicatrix*
brodawka, kurzajka	*wart, verruca*
cętkowane paznokcie	*stippled nails*
ciemne zabarwienie paznokcia	*melanonychia*
gorączka	*fever*
grudka	*spot, papule*
guzek	*lump, nodule*
krosta	*spot, macule*
łuska	*scale*
martwica	*necrosis*
nadżerka	*erosion*
nagniotek	*corn*
obrzęk, obrzmienie	*swelling*
palce pałeczkowate (dobosza)	*clubbing (drumstick fingers)*
pęcherz	*blister, bulla*
pęcherzyk	*vesicle, small bllister*
pęknięcie	*fissure*
pocenie	*perspiration*
podrażnienie	*irritation*
ropa	*pus*
strup	*crust, scab*
suchość skóry	*xerosis*
swędzenie	*itching*
uszkodzenie, zmiana chorobowa skóry	*skin lesion*
wrzód	*ulcer*
wysięk	*watery discharge*
zaczerwienienie	*reddening*
zaczerwienienie ogniskowe skóry	*flare*
zakażenie bakteryjne	*bacterial infection*
zasinienie paznokci	*blue nails*
złuszczenie	*exfoliation*
złuszczenie płatowate	*desquamation (scalling off)*
znamię	*mole, fleshy naevus*
znamię wrodzone	*birthmark, naevus*

Układ ruchu
Locomotor system

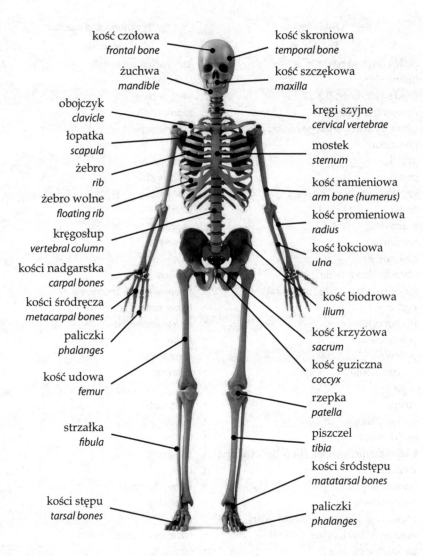

kość czołowa
frontal bone

żuchwa
mandible

obojczyk
clavicle

łopatka
scapula

żebro
rib

żebro wolne
floating rib

kręgosłup
vertebral column

kości nadgarstka
carpal bones

kości śródręcza
metacarpal bones

paliczki
phalanges

kość udowa
femur

strzałka
fibula

kości stępu
tarsal bones

kość skroniowa
temporal bone

kość szczękowa
maxilla

kręgi szyjne
cervical vertebrae

mostek
sternum

kość ramieniowa
arm bone (humerus)

kość promieniowa
radius

kość łokciowa
ulna

kość biodrowa
ilium

kość krzyżowa
sacrum

kość guziczna
coccyx

rzepka
patella

piszczel
tibia

kości śródstępu
matatarsal bones

paliczki
phalanges

Struktura	Structure
Polish	English

Szkielet osiowy / *Axial skeleton*

• czaszka	• *skull*
• kręgosłup	• *spine, spinal/vertebral column*
kręgi szyjne	*cervical v.*
kręgi piersiowe	*thoracic v.*
kręgi lędźwiowe	*lumbar v.*
kręgi krzyżowe	*sacral v.*
kość guziczna	*coccygeal bone*
• żebra	• *ribs*
prawdziwe	*true*
rzekome	*false*
wolne	*floating*
• mostek	• *sternum*

Szkielet kończyny górnej / *Upper limb skeleton*

• obręcz barkowa	• *shoulder girdle*
obojczyk	*clavicle, collar bone*
łopatka	*scapula, shoulder blade*
staw barkowy	*glenohumeral joint*
ramię	*shoulder*
• kość ramieniowa	• *arm bone, humerus*
• kości przedramienia	• *forearm bones*
kość łokciowa	*ulna*
kość promieniowa	*radius*
• nadgarstek	• *wrist*
kości nadgarstka	*carpal bones*
• ręka	• *palm*
kości śródręcza	*metacarpal bones*
kciuk	*thumb*
palce	*fingers*
paliczki	*phalanges*

Szkielet kończyny dolnej / *Lower limb skeleton*

• staw biodrowy	• *hip joint*
• kości miednicy	• *hip bones*
• kość udowa	• *femur, thigh bone*
• staw kolanowy	• *knee joint*
• rzepka	• *patella, kneecap*
• podudzie	• *leg*
piszczel	*tibia*
strzałka	*fibula*
• staw skokowy, kostka	• *ankle*
kości stępu	*tarsals*
• stopa	• *foot*
kości śródstępu	*metatarsals*
• palce	• *toes*
paliczek, paliczki (pl.)	*phalanx, phalanges (pl.)*
• kość, kości (pl.)	• *bone, bones (pl.)*
• staw	• *articulation (joint)*
• torebka stawowa	• *articular (joint) capsule*
• chrząstka, chrząstki (pl.)	• *cartilage, cartilages (pl.)*
• ścięgno, ścięgna (pl.)	• *tendon, tendons (pl.)*
• mięsień, mięśnie (pl.)	• *muscles, muscles (pl.)*
• więzadło, więzadła (pl.)	• *ligament, ligaments (pl.)*
• powięź	• *fascia*

Mięśnie / *Muscles*

• dwugłowy	• *biceps*
• trójgłowy	• *triceps*
• czworogłowy	• *quadriceps*
• zginacz	• *flexor*
• prostownik	• *extensor*
• przywodziciel	• *adductor*
• odwodziciel	• *abductor*

Czaszka / *Skull, cranium*

• mózgoczaszka	• *cranium*
• kość czołowa	• *frontal bone*
• kość ciemieniowa	• *parietal bone*
• kość skroniowa	• *temporal bone*
• kość potyliczna	• *occipital bone*
• kość klinowa	• *sphenoid bone*
• kość sitowa	• *ethmoid bone*
• twarzoczaszka	• *facial skeleton*
• kość łzowa	• *lacrimal bone*
• kość nosowa	• *nasal bone*
• kość jarzmowa	• *zigomatic bone*
• kość szczękowa	• *maxilla*
• żuchwa	• *mandible*
• szew, szwy (pl.)	• *suture, sutures (pl.)*

Kości / *Bones*	
• długie	• *long*
• krótkie	• *short*
• płaskie	• *flat*
• różnokształtne	• *irregular*

Choroby i urazy	Diseases and injuries
Polish	English
• choroba Pageta	• *Paget's disease*
• choroba zwyrodnienieniowa stawów	• *arthrosis*
• dna moczanowa	• *gout*
• dysplazja	• *dysplasia*
• infekcyjne zapalenie stawów	• *infectious arthritis*
• kifoza	• *kyphosis*
• kostniak	• *osteoma*
• lordoza	• *lordosis*
• łokieć tenisisty	• *tenis elbow*
• martwica jałowa kości	• *avascular necrosis*
• mięsak kości	• *osteosarcoma*
• niedokrwienie mięśni	• *muscle ischemia*
• osteoporoza	• *osteoporosis*
• porażenie mięśni	• *myoparalysis*
• przepuklina mięśniowa	• *muscular hernia*
• reumatoidalne zapalenie stawów	• *rheumatoid arthritis*
• skolioza	• *scoliosis*
• skręcenie	• *distortion, sprain*
• zapalenie kości	• *osteitis*
• zapalenie kości i stawów	• *osteoarthritis*
• zapalenie stawów	• *arthritis*
• zapalenie ścięgna	• *tendinitis, tendonitis*
• zapalenie więzadła	• *desmitis, syndesmitis*
• zastój krwi, przekrwienie	• *congestion, hyperaemia*
• zesztywniające zapalenie stawów kręgosłupa	• *ankylosing spondylitis*
• złamanie	• *fracture*
• złamanie podstawy czaszki	• *base of the scull fracture*
• złamanie szyjki kości udowej	• *femoral neck fracture*
• zwichnięcie	• *dislocation, displacement*
• zwichnięcie stawu biodrowego	• *hip joint dislocation*
• zwyrodnienie	• *degeneration*
• zwyrodnienie mięśni	• *myodegeneration*

Objawy	Symptoms
Polish	English
• atrofia, zanik mięśni	• *atrophy*
• bolesność	• *soreness*
• ból	• *pain*
• deformacja	• *deformation*
• drętwienie	• *numbness, "pins and needles"*
• dystrofia mięśniowa	• *muscular dystrophy*
• krwawienie z ucha	• *bleeding from the ear*
• krwiak	• *haematoma*
• krwotok	• *haemorrhage*
• martwica	• *necrosis*
• mrowienie	• *tingling*
• niedowład	• *paresis*
• nieprawidłowa postawa	• *incorrect body posture*
• nieprawidłowe ustawienie kończyny	• *incorrect limb position*
• nieprawidłowy chód	• *gait disturbance*
• nietrzymanie moczu	• *urinary incontinence*
• ograniczenie ruchu	• *movement limitation*
• otarcie naskórka	• *abrasion*
• parestezja, czucie opaczne	• *paresthesia*
• płytki oddech	• *hypopnoea, shallow respiration*
• porażenie	• *paralysis*
• porażenie, niedowład	• *palsy*
• ropień	• *abscess*
• sztywność	• *stiffness*
• utrata przytomności	• *loss of consciousness*
• wady postawy	• *faulty posture*
• widoczny odłam kostny	• *visible fragment of fractured bone*
• wiotki, zwiotczały	• *flaccid*
• zaburzenie czucia	• *dysaesthesia*
• zaburzenie oddechu	• *dyspnoea*
• zaczerwienienie	• *reddness*
• zasinienie	• *livido*
• zdrętwienie	• *numbness*

Złamania, typy	Fractures, types
Polish	English
• bez przemieszczenia	• *undisplaced*
• Collesa (nadgarstka)	• *Colles'*
• kompresyjne	• *crush*
• odpryskowe	• *chip*
• otwarte	• *open*
• poprzeczne	• *transverse*
• proste	• *simple*
• rzekome	• *pseudofracture*
• samoistne	• *spontaneous, atrophic*
• skośne	• *oblique*
• wielokrotne	• *multiple*
• wieloodłamkowe	• *comminuted*
• ze zgnieceniem	• *compression*
• złożone	• *complex*

Układ oddechowy
Respiratory system

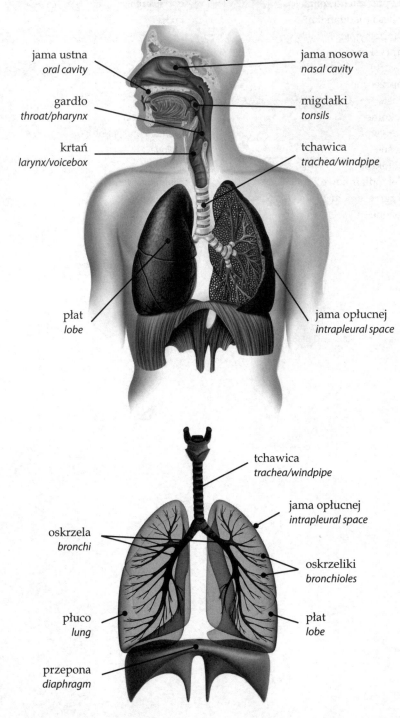

jama ustna
oral cavity

jama nosowa
nasal cavity

gardło
throat/pharynx

migdałki
tonsils

krtań
larynx/voicebox

tchawica
trachea/windpipe

płat
lobe

jama opłucnej
intrapleural space

tchawica
trachea/windpipe

jama opłucnej
intrapleural space

oskrzela
bronchi

oskrzeliki
bronchioles

płuco
lung

płat
lobe

przepona
diaphragm

Struktura	Structure
Polish	English

Górne drogi oddechowe / Upper respiratory tract

• nos (jama nosowa)	• *nose (nasal cavity)*
• usta (jama ustna)	• *mouth (oral cavity)*
• gardło	• *pharynx, throat*
• migdałki	• *tonsils*
• krtań	• *larynx, voicebox*
• tchawica	• *trachea, windpipe*

Dolne drogi oddechowe / Lower respiratory tract

• oskrzele, oskrzela (pl.)	• *bronchus, bronchi (pl.)*
• oskrzelik, oskrzeliki (pl.)	• *bronchiole, bronchioles (pl.)*
• płuco, płuca (pl.)	• *lung, lungs (pl.)*
szczyt	*apex*
wnęka	*hilus*
płat	*lobe*
zrazik	*lobule*
dolny	*lower*
środkowy	*middle*
korzeń	*root*
segment	*segment*
górny	*upper*
powierzchnia	*surface*
żebrowa	*costal*
przeponowa	*diaphragmatic*
przyśrodkowa	*medial*
• pęcherzyk, pęcherzyki (pl.)	• *alveolus, alveoli (pl.)*
• opłucna, opłucne (pl.)	• *pleura, pleurae (pl.)*
• opłucna płucna (trzewna)	• *visceral pleura*
• jama opłucnej	• *intrapleural space*
• opłucna ścienna	• *parietal pleura*
• przepona	• *diaphragm*

Choroby, urazy	Diseases, disorders, defects, injuries
Polish	English
• alergiczny nieżyt nosa	• *allergic rhinitis*
• angina	• *tonsillitis*
• astma	• *asthma*
• ciężki ostry zespół oddechowy (SARS)	• *severe acute respiratory syndrome (SARS)*
• gruźlica	• *tuberculosis*
• grypa	• *influenza*
• katar sienny	• *hay fever*
• mukowiscydoza	• *cystic fibrosis (CF), mucoviscidosis*
• niedodma	• *atelectasis*
• nikotynizm	• *nicotinism*

- odma
- odma, rozedma płuc
- przewlekła obturacyjna choroba płuc (POCHP)
- przetoka
- przeziębienie
- pylica
- rak płuca
- ropień płuc
- rozedma
- sarkoidoza
- zapalenie gardła
- zapalenie krtani
- zapalenie opłucnej
- zapalenie oskrzeli
- zapalenie płuc

- *pnemothorax*
- *emphysema*
- *chronic obstructive pulmonary disorder (COPD)*
- *fistula*
- *cold*
- *pneumoconiosis*
- *lung cancer*
- *lung abscess*
- *emphysema*
- *sarcoidosis*
- *pharyngitis*
- *laryngitis*
- *pleurisy, pleuritis*
- *bronchitis*
- *pneumonia*

Objawy	Symptoms
Polish	English
bezdech	*apnoea*
ból gardła	*sore throat*
ból głowy	*headache*
ból mięśni	*muscle pain*
ból przy przełykaniu	*pain on swallowing*
ból stawów	*pain in joints*
ból w klatce piersiowej	*pain in chest*
chrypka	*hoarseness*
chudnięcie, utrata masy ciała	*weight loss*
drapanie w gardle	*scratching in the throat*
duszność	*dyspnoea*
dysfonia	*dysphonia*
gorączka	*fever, pyrexia*
hiperwentylacja	*hyperventilation*
hipowentylacja	*hypoventilation*
kaszel	*cough*
kaszel mokry (z odksztuszaniem)	*productive cough*
katar (zapalenie śluzówki nosa)	*runny nose (rhinitis)*
kichanie	*sneezing*
krwioplucie (plucie krwią)	*hemoptysis (blood in sputum)*
krwotok	*hemorrhage*
obrzęk płuc	*pulmonary oedema*
osłabienie	*weakness*
pieczenie w gardle	*burning in the throat*
plwocina	*sputum, phlegm*

- płytki oddech
- potliwość
- powiększone węzły chłonne szyi
- sinica
- suchość w gardle
- szybkie oddychanie
- trudności w przełykaniu
- wolne oddychanie
- wydzielina z nosa
- zatkany nos
- złe samopoczucie

- *dysponea (shallow respiration)*
- *sweating*
- *enlarged cervical lymph nodes*
- *cyanosis*
- *dryness in the throat*
- *tachypnoea*
- *difficulties in swallowing*
- *bradypnoea*
- *nasal discharge*
- *nasal obstruction*
- *malaise*

Układ krwionośny (sercowo-naczyniowy)
Circulatory (cardiovascular) system

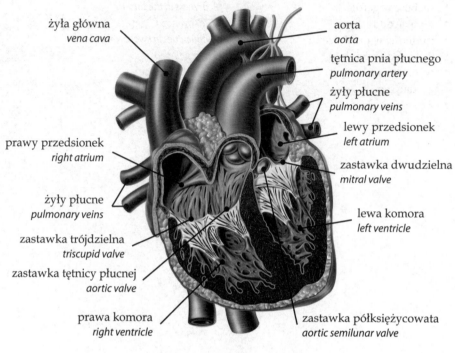

żyła główna
vena cava

aorta
aorta

tętnica pnia płucnego
pulmonary artery

żyły płucne
pulmonary veins

lewy przedsionek
left atrium

prawy przedsionek
right atrium

zastawka dwudzielna
mitral valve

żyły płucne
pulmonary veins

lewa komora
left ventricle

zastawka trójdzielna
triscupid valve

zastawka tętnicy płucnej
aortic valve

prawa komora
right ventricle

zastawka półksiężycowata
aortic semilunar valve

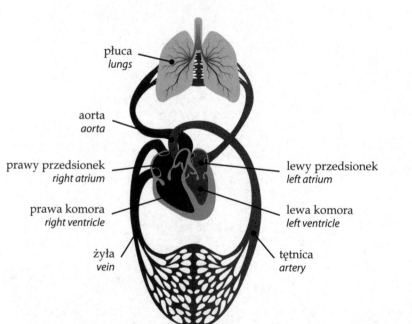

płuca
lungs

aorta
aorta

prawy przedsionek
right atrium

lewy przedsionek
left atrium

prawa komora
right ventricle

lewa komora
left ventricle

żyła
vein

tętnica
artery

Struktura	Structure
Polish	English

	Polish	English
Serce / Heart	• przedsionek	• *atrium*
	• komora	• *ventricle*
	• przegroda	• *septum*
	• zastawka	• *valve*
	zastawki przedsionkowo-komorowe	*atrioventricular valves*
	dwudzielna	*bicuspid*
	trójdzielna	*tricuspid*
	zastawki półksiężycowe	*semilunar valves*
	aorty	*aortic*
	pnia płucnego	*pulmonary*
	• warstwy	• *layers*
	wsierdzie	*endocardium*
	mięsień sercowy	*myocardium*
	osierdzie	*pericardium*
	• wierzchołek	• *apex*
	• podstawa	• *base*
	• naczynia wieńcowe	• *coronary vessels*
Krew / Blood	• osocze, plazma	• *plasma*
	• erytrocyty, czerwone ciałka krwi	• *erythrocytes, red blood cells*
	• leukocyty, białe ciałka krwi	• *leukocytes, white blood cells*
	• trombocyty, płytki krwi	• *thrombocytes, platelets*
Naczynia krwionośne / Blood vessels	• tętnice	• *arteries*
	aorta	*aorta*
	tętnice	*arteries*
	tętniczki	*arterioles*
	• żyły	• *veins*
	żyła główna górna	*vena cava superior*
	żyła główna dolna	*vena cava interior*
	żyły	*veins*
	żyłki	*venules*

Choroby	Diseases
Polish	English

Polish	English
• anemia	• *anaemia*
• białaczka	• *leukaemia*
• chłoniak	• *lymphoma*
• choroba niedokrwienna serca	• *myocardial ischaemic disorder*
• częstoskurcz	• *tachycardia*
• drożny przewód tętniczy	• *patent ductus arteriosus*
• hemofilia	• *hemophilia*

- małopłytkowość
- miażdżyca (tętnic)
- migotanie
- naczyniak
- nadciśnienie
- niedociśnienie
- niedokrwistość
  - n. z niedoboru żelaza
  - n. złośliwa
  - n. sierpowata
  - talasemia
- niedomykalność
- niewydolność
- omdlenie
- przetoka
- stwardnienie tętnic
- szpiczak mnogi
- tętniak
- trombocytoza
- trzepotanie
- ubytek przegrody międzykomorowej
- ubytek przegrody międzyprzedsionkowej
- wada wrodzona/nabyta
- wstrząs
- zaburzenia krzepnięcia
- zakrzep
- zakrzepica
- zapalenie
- zator
- zatrzymanie akcji serca, asystolia
- zatrzymanie krążenia
- zawał
- zwężenie
- zwężenie cieśni aorty
- żylaki

- *thrombocytopenia*
- *atherosclerosis*
- *fibrillation*
- *angioma*
- *hypertension*
- *hypotension*
- *anaemia*
  - *iron deficiency a.*
  - *pernicious a.*
  - *sickle cell a.*
  - *thalassemia*
- *regurgitation*
- *failure*
- *syncope*
- *fistula*
- *arteriosclerosis*
- *multiple myeloma*
- *aneurysm*
- *thrombocytosis*
- *flutter*
- *ventricular septal defect*
- *atrial septal defect*
- *disorder congenital/acquired*
- *shock*
- *coagulation disorders*
- *thrombus*
- *thrombosis*
- *inflammation*
- *embolism*
- *cardiac arrest, asystole*
- *circulatory arrest*
- *heart attack*
- *stenosis, constriction*
- *coarctation of the aorta*
- *varicose veins*

Objawy	Symptoms
Polish	English
• arytmia, zaburzenie rytmu serca	• *arrhythmia, irregular heartbeat*
• bladość	• *pallor*
• ból głowy	• *headache*
• ból kończyn dolnych, ból nóg	• *pain in lower limbs*
• ból promieniujący	• *radiating pain*

- ból zamostkowy (ból za mostkiem) • *retrosternal pain*
- chromanie przestankowe • *intermittent claudication*
- kołatanie serca • *palpitation*
- kwasica • *acidosis*
- migotanie komór • *ventricular fibrillation*
- migotanie przedsionków • *atrial fibrillation*
- niepokój, lęk • *anxiety*
- niskie ciśnienie krwi • *low blood pressure*
- obrzęk kończyn dolnych, obrzęk nóg • *oedema of the lower limbs*
- omdlenie • *faintness*
- osłabienie • *fatigue*
- owrzodzenia • *ulceration*
- pocenie się • *sweating*
- przebarwienia • *discoloration*
- sinica • *cyanosis, bluishness*
- szum w uszach • *ear buzzing, tinnitus*
- trzepotanie • *flutter*
- ucisk • *pressure*
- uczucie zimna w kończynach • *coldness in the limbs*
- wysokie ciśnienie krwi • *high blood pressure*
- zaburzenie rytmu serca • *arrhythmia*
- zaburzenia widzenia • *vision disorder*
- zaczerwienienie twarzy • *flushing*
- zamartwica • *asphyxia*
- zawroty głowy • *dizziness*
- zesztywnienie pośmiertne • *rigor mortis*
- zgaga • *heartburn*
- zmęczenie • *fatigue*

Typy, rodzaje krążenia	*Types of circulation*
Polish	English
• płucne	• *pulmonary*
• sieć dziwna	• *rete mirabile*
• systemowe, obwodowe	• *systemic*
• wrotne	• *portal*

Układ trawienny
Digestive system

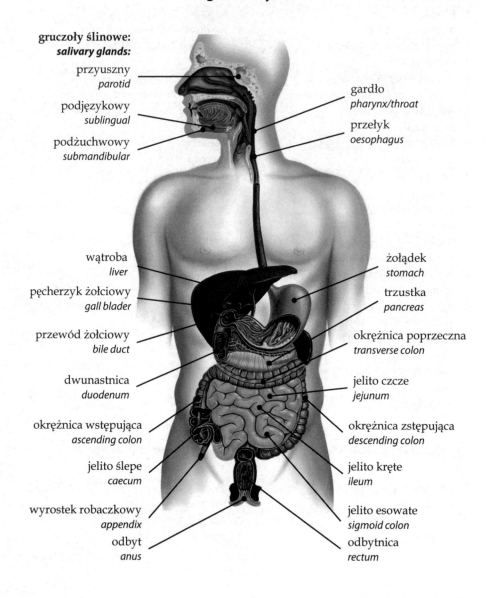

gruczoły ślinowe:
salivary glands:

przyuszny
parotid

podjęzykowy
sublingual

podżuchwowy
submandibular

gardło
pharynx/throat

przełyk
oesophagus

wątroba
liver

pęcherzyk żołciowy
gall blader

przewód żołciowy
bile duct

dwunastnica
duodenum

okrężnica wstępująca
ascending colon

jelito ślepe
caecum

wyrostek robaczkowy
appendix

odbyt
anus

żołądek
stomach

trzustka
pancreas

okrężnica poprzeczna
transverse colon

jelito czcze
jejunum

okrężnica zstępująca
descending colon

jelito kręte
ileum

jelito esowate
sigmoid colon

odbytnica
rectum

Struktura	Structure
Polish	English
• jama ustna	• *oral cavity*
• wargi	• *lips*
• zęby	• *teeth*
• dziąsła	• *gums*
• gruczoły ślinowe	• *salivary glands*
• język	• *tongue*
• gardło	• *throat/pharynx*
• przełyk	• *oesophagus*
• żołądek	• *stomach*
• jelito cienkie	• *small intestine*
dwunastnica	*duodenum*
jelito czcze	*jejunum*
jelito kręte	*ileum*
• wątroba	• *liver*
• pęcherzyk żółciowy	• *gall blader*
• przewód żółciowy	• *bile duct*
• trzustka	• *pancreas*
• wyrostek robaczkowy	• *appendix*
• jelito grube	• *large intestine*
jelito ślepe	*caecum*
okrężnica	*colon*
wstępująca	*ascending c.*
poprzeczna	*transverse c.*
zstępująca	*descending c.*
jelito esowate	*sigmoid*
odbytnica, prostnica	*rectum*
odbyt	*anus*

Choroby	Diseases
Polish	English
• anoreksja	• *anorexia*
• bulimia	• *bulimia*
• celiaklia	• *coeliac disease*
• choroba Leśniowskiego i Crohna	• *Crohn's disease*
• choroba refluksowa przełyku, refluks	• *gastroesophageal reflux disease (GERD)*
• glistnica	• *ascariasis*
• guz	• *tumour*
• hemoroidy	• *haemorrhoids*
• kamica żółciowa	• *gall stones*
• marskość wątroby	• *liver cirrhosis*
• niedrożność jelit	• *intestinal obstruction, ileus*
• nietolerancja węglowodanów	• *carbohydrate intolerance*
• owsica	• *oxyuriasis/enterobiasis*

- perforacja przewodu pokarmowego
- polip
- polipowatość
- przetoka
- rak jelita grubego
- rak przełyku
- rak trzustki
- rak żołądka
- refluks
- tasiemczyca
- wrzody trawienne
- wrzodziejące zapalenie jelita grubego
- wrzód dwunastnicy
- wrzód żołądka
- zapalenie jelita grubego
- zapalenie otrzewnej
- zapalenie pęcherzyka żółciowego
- zapalenie trzustki
- zapalenie uchyłka
- zapalenie wątroby (WZW) A, B, C
- zapalenie wyrostka
- zapalenie żołądka
- zatrucie pokarmowe
- zespół jelita drażliwego
- zespół złego wchłaniania
- zespół Zollingera i Ellisona

- *perforation of the alimentary tract*
- *polyp*
- *polyposis*
- *fistula*
- *colon cancer*
- *oesophageal cancer*
- *pancreatic cancer*
- *stomach cancer*
- *reflux*
- *taeniasis*
- *peptic ulcers*
- *ulcerative colitis*
- *duodenal ulcer*
- *gastric ulcer*
- *colitis*
- *peritonitis*
- *cholecystitis (inflammation of the gallbladder)*
- *pancreatitis*
- *diverticulitis*
- *hepatitis (liver inflammation) type A, B, C*
- *appendicitis*
- *gastritis*
- *food poisoning*
- *irritable bowel syndrome (IBS)*
- *malabsorption syndrome*
- *Zollinger–Ellison syndrome*

Objawy	Symptoms
Polish	English
• biegunka	• *diarrhoea*
• ból brzucha	• *abdominal pain*
• ból kolkowy	• *colicky pain*
• ból kurczowy	• *cramplike pain*
• ból na czczo	• *pain before eating*
• ból na dole brzucha	• *pain in lower abdomen*
• ból na górze brzucha	• *pain in upper abdomen*
• ból piekący	• *burning pain*
• ból po posiłku	• *pain after eating*
• ból po prawej stronie	• *right side abdominal pain*
• ból ściskający	• *gripping pain*
• brak apetytu/łaknienia	• *lack of appetite*
• brak perystaltyki	• *lack of peristalsis*
• chudnięcie, utrata masy ciała	• *weight loss*
• częste wypróżnianie	• *frequent bowel movements*

• gorączka	• *fever*
• hemoroidy	• *haemorrhoids*
• krew w stolcu	• *blood in stool*
• krwawe wymioty	• *haematemesis*
• krwawienie z przewodu pokarmowego	• *bleeding from the alimentary tract*
• mdłości, nudności	• *nausea*
• nadkwasota	• *over acidity*
• nadwaga	• *overweight*
• nadżerka	• *erosion*
• niedożywienie	• *malnutrition*
• niestrawność, dyspepsja	• *indigestion, dyspepsia*
• odbijanie	• *belching*
• oddawanie gazów	• *flatulence*
• otyłość	• *obesity*
• parcie na stolec	• *tenesmus*
• smoliste stolce	• *melaena*
• wodobrzusze	• *ascites*
• wymioty	• *vomiting*
• wzdęcie	• *distension, bloating*
• zaparcie	• *constipation*
• zgaga	• *heartburn*
• złe samopoczucie	• *discomfort*
• żółtaczka	• *jaundice*

Zęby
Teeth

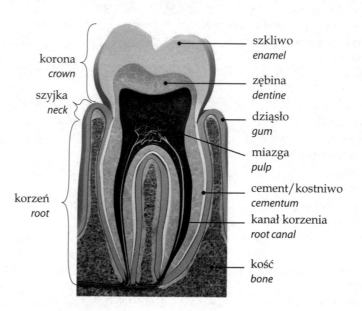

korona
crown

szyjka
neck

korzeń
root

szkliwo
enamel

zębina
dentine

dziąsło
gum

miazga
pulp

cement/kostniwo
cementum

kanał korzenia
root canal

kość
bone

Rodzaje uzębienia	Types of dentition
Polish	English
• zęby mleczne	• *deciduous teeth, milk teeth*
• zęby stałe	• *permanent teeth*
• zęby sztuczne, proteza	• *false teeth, denture*

Typy, rodzaje zębów	Types of teeth
Polish	English
• siekacz	• *incisor, cutting tooth*
• kieł	• *canine*
• przedtrzonowy	• *premolar, bicuspid*
• trzonowy	• *molar, tricuspid*
• ząb mądrości	• *wisdom tooth*

Budowa zęba (części)	Structure of the tooth (parts)
Polish	English
• korona	• *crown*
• szyjka	• *neck*
• korzeń, korzenie (pl.)	• *root, roots (pl.)*

Struktura zęba	Structure of the tooth
Polish	English
• szkliwo	• enamel
• cement, kostniwo	• cementum
• zębina	• dentine
• kanał	• root canal
• miazga	• pulp
• naczynia krwionośne	• blood vessels
• nerwy	• nerves

Powierzchnie zęba	Surfaces of the tooth
Polish	English
• mezjalna	• mesial surface
• dystalna	• distal surface
• przedsionkowa, wargowa, policzkowa	• labial, buccal surface
• językowa	• lingual surface
• podniebienna	• palatal
• zgryzowa, zwarciowa	• occlusal surface
• brzeg sieczny	• incisal edge
• żująca	• grinding

Inne użyteczne wyrazy	Other useful words
Polish	English
• wyrostek zębodołowy	• tooth socket
• dziąsła	• gingiva, gums
• błona śluzowa jamy ustnej	• oral mucosa
• nabłonek	• epithelium
• tkanka łączna	• connective tissue

Opis zęba	Tooth description
Polish	English
• jedynka	• first
• dwójka	• second
• trójka	• third
• czwórka	• fourth
• piątka	• fifth
• szóstka	• sixth
• siódemka	• seventh
• ósemka	• eighth

Układ moczowy
Urinary system

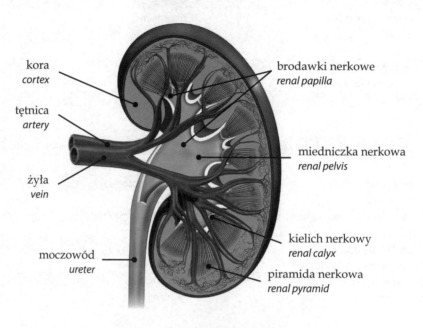

kora
cortex

tętnica
artery

żyła
vein

moczowód
ureter

brodawki nerkowe
renal papilla

miedniczka nerkowa
renal pelvis

kielich nerkowy
renal calyx

piramida nerkowa
renal pyramid

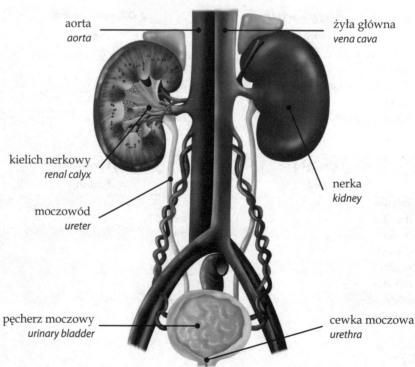

aorta
aorta

żyła główna
vena cava

kielich nerkowy
renal calyx

moczowód
ureter

nerka
kidney

pęcherz moczowy
urinary bladder

cewka moczowa
urethra

Struktura	Structure
Polish	English
• nerka, nerki (pl.)	• *kidney, kidneys (pl.)*
• kora	• *cortex*
• rdzeń	• *medulla*
• kłębuszek nerkowy	• *glomerulus*
• nefron	• *nephron*
• torebka Bowmana	• *Bowman's capsule*
• kanalik	• *tubule*
• kielich	• *calyx*
• piramida	• *pyramid*
• miedniczka	• *renal pelvis, calyx*
• moczowód, moczowody (pl.)	• *ureter, ureters (pl.)*
• pęcherz moczowy	• *urinary bladder*
• cewka moczowa	• *urethra*

Choroby i zaburzenia	Diseases and disorders
Polish	English
• guz Wilmsa, nefroblastoma	• *nephroblastoma*
• infekcja dróg moczowych	• *urinary tract infection (UTI)*
• kamica moczowa (nerkowa)	• *urolithiasis (nephrolithiasis)*
• kamica moczowodów	• *urethral obstruction, ureterolithiasis*
• kamica pęcherza	• *cystolithiasis*
• krwiomocz	• *hematuria*
• mikroalbuminuria	• *micro-albuminuria*
• moczenie nocne	• *enuresis*
• mocznica	• *uremia*
• nadciśnienie	• *hypertension*
• nadciśnienie tętnicze	• *arterial hypertension*
• nadmierna diureza nocna, nokturia	• *nocturia*
• nefropatia	• *nephropathy*
• nefropatia cukrzycowa	• *diabetic nephropathy*
• nietrzymanie moczu	• *urinary incontinence*
• niewydolność nerek	• *renal failure*
• nowotwór	• *neoplasm*
• obrzęk	• *oedema*
• odmiedniczkowe zapalenie nerek	• *pyelonephritis*
• rak nerki	• *kidney cancer*
• rak pęcherza moczowego	• *urinary bladder cancer*
• ropień nerki	• *renal abscess*
• ropomocz	• *pyuria*
• skąpomocz	• *oliguria*
• tkliwość	• *tenderness*
• wielomocz	• *polyuria*

• wymioty	• *vomiting*
• zapalenie cewki moczowej	• *urethritis*
• zapalenie miedniczek nerkowych	• *pyelitis*
• zapalenie nerek	• *nephritis*
• zapalenie pęcherza moczowego	• *cystitis*
• zatrzymanie moczu	• *urine retention*
• zwężenie tętnicy nerkowej	• *renal artery stenosis*

Objawy	Symptoms
Polish	English
• albuminuria	• *albuminuria*
• bezmocz	• *anuria*
• białkomocz	• *proteinuria*
• bolesne oddawanie moczu	• *dysuria*

Układ nerwowy
Nervous system

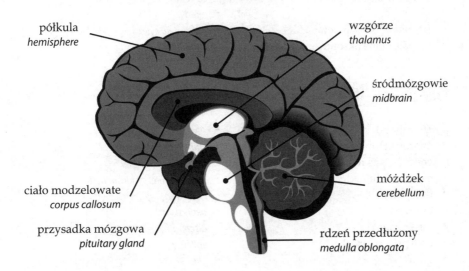

półkula
hemisphere

wzgórze
thalamus

śródmózgowie
midbrain

ciało modzelowate
corpus callosum

móżdżek
cerebellum

przysadka mózgowa
pituitary gland

rdzeń przedłużony
medulla oblongata

Struktura	Structure
Polish	English
• ośrodkowy układ nerwowy (OUN)	• *central nervous system (CNS)*
• mózg	• *brain*
mózg	*cerebrum*
półkula	*hemisphere*
substancja biała	*white matter*
mielina	*myelin*
substancja szara	*grey matter*
• mózgowie	• *brain*
• opony mózgowo-rdzeniowe	• *meninges*
• twardówka/twarda	• *dura mater*
• pajęczynówka	• *arachnoid*
• naczyniówka/miękka	• *choroid/pia mater*
• rdzeń przedłużony	• *medulla oblongata*
• płyn mózgowo-rdzeniowy (CSF)	• *cerebrospinal fluid (CSF)*
• móżdżek	• *cerebellum*
• hipokamp	• *hippocampus*
• bruzda	• *sulcus*
• zakręt	• *gyrus*
• ośrodek	• *center*
• komora III	• *IIIrd ventricle*
• komora IV	• *IVth ventricle*
• pień mózgu	• *brain stem*
• rdzeń kręgowy	• *spinal cord*

Struktura: neuron	*Structure: neuron*
Polish	English
• ciało komórki	• *cell body*
• akson	• *axon*
• przewężenie Ranviera	• *node of Ranvier*
• rozgałęzienie aksonu	• *axon terminal*

Choroby	*Diseases*
Polish	English
• choroba Alzheimera	• *Alzheimer's disease*
• choroba Huntingtona	• *Huntington's disease*
• choroba Parkinsona	• *Parkinson's disease*
• cieśń kanału nadgarstka	• *carpal tunnel syndrom (CTS)*
• demencja	• *dementia*
• depresja	• *depression*
• dyskopatia	• *discopathy*
• epilepsja, padaczka	• *epilepsy*
• glejak	• *glioma*
• guz	• *tumour*
• krwiak	• *haematoma*
• krwotok	• *haemorrhage*
• miastenia	• *myasthenia*
• nerwiak	• *neurinoma*
• nerwica	• *neurosis*
• niedokrwienie	• *ischaemia*
• nowotwór	• *neoplasm*
• oponiak	• *meningioma*
• opóźnienie w rozwoju umysłowym	• *mental retardation*
• półpasiec	• *zoster*
• ropień	• *abscess*
• ropniak	• *empyema*
• stłuczenie mózgu	• *brain contusion*
• stwardnienie rozsiane (SM)	• *multiple sclerosis (MS)*
• stwardnienie zanikowe boczne	• *Charcot's disease*
• tętniak	• *aneurysm*
• udar	• *stroke*
• upośledzenie umysłowe	• *mental handicap*
• uraz	• *injury*
• uraz czaszkowo-mózgowy	• *severe head injury*
• wodogłowie	• *hydrocephalus*
• wścieklizna	• *rabies*
• zaburzenia ruchów	• *movement disorders*
• zakażenie	• *infection*
• zapalenie mózgu	• *encephalitis*

- zapalenie nerwu
- zapalenie opon mózgowych
- zapalenie rdzenia kręgowego
- zator
- zawał
- zwyrodnienie

- *neuritis*
- *meningitis*
- *myelitis*
- *embolism*
- *infarction*
- *degeneration*

Objawy	Symptoms
Polish	English
afazja	*aphasia*
agnozja	*agnosia*
apraksja	*apraxia*
ból głowy	*headache*
ból pulsujący	*throbbing pain*
delirium	*delirium*
demencja	*dementia*
drgawki	*seizures*
drżenie	*tremor, trembling, shivering*
guz łagodny	*benign tumour*
guz złośliwy	*malignant tumour*
mdłości	*nausea*
migrena	*migraine*
nadciśnienie	*hypertension*
nadciśnienie śródczaszkowe	*intracranial hypertension (IH)*
napad padaczkowy	*epileptic seizure*
nerwoból, neuralgia	*neuralgia*
niedowład	*paresis*
niedowład połowiczny	*hemiparesis*
nudności	*nausea*
objaw Lhermitte'a	*Lhermitte's sign*
osłabienie mięśni	*muscle weakness*
ospałość	*drowsiness*
paraliż	*paralysis*
parestezja	*paresthesia*
przerzut	*metastasis*
rwa kulszowa	*sciatica*
senność	*drowsiness*
skurcz	*spasm, contraction*
stan wegetatywny	*vegetative state*
szczękościsk	*lockjaw*
sztywność	*rigidity*
śmierć mózgu	*brain death*
śpiączka	*coma*
światłowstręt	*photophobia*

- ucisk
- uporczywy ból
- utrata pamięci
- utrata przytomności
- wahania nastroju
- wstrząs mózgu
- wymioty
- zaburzenia czynności zwieraczy
- zaburzenia koordynacji i równowagi
- zaburzenia mowy
- zaburzenia pamięci
- zaburzenia smaku
- zaburzenia świadomości
- zaczerwienienie
- zator, czop zatorowy
- zawroty głowy
- zmiana chorobowa

- *compression, tightness*
- *persistant pain*
- *memory loss*
- *loss of consciousness*
- *unstable moods*
- *concussion*
- *vomiting*
- *bladder and bowel difficulties*
- *difficulties wih coordination and balance*
- *speech disturbances, dysarthia*
- *memory disturbances*
- *dysgeusia (taste distortion)*
- *disturbances of consciousness*
- *redenning*
- *embolus*
- *dizziness, giddiness, vertigo*
- *lesion*

Oko
The eye

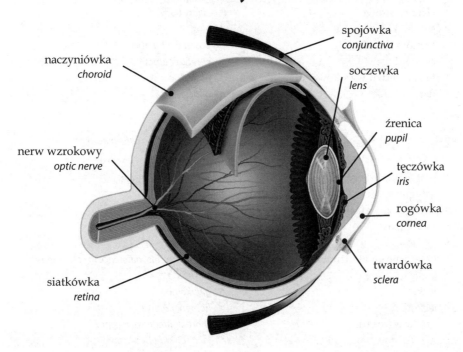

spojówka
conjunctiva

naczyniówka
choroid

soczewka
lens

źrenica
pupil

nerw wzrokowy
optic nerve

tęczówka
iris

rogówka
cornea

twardówka
sclera

siatkówka
retina

Struktura	Structure
Polish	English
• brew, brwi (pl.)	• *eyebrow, eyebrows (pl.)*
• powieka, powieki (pl.)	• *eyelid, eyelids (pl.)*
górna	*upper*
dolna	*lower*
• rzęsa	• *eyelash*
• gruczoł łzowy	• *lacrimal gland*
• kanalik łzowy	• *lacrimal canaliculus*
• gałka oczna	• *eyeball*
• twardówka	• *sclera*
• spojówka	• *conjunctiva*
• naczyniówka	• *choroid*
• siatkówka	• *retina*
• plamka żółta	• *yellow spot (macula)*
• czopek	• *con*
• pręcik	• *rod*
• rogówka	• *cornea*
• komora przednia	• *anterior chamber*
• ciecz wodnista	• *aqueous humour*

• tęczówka	• *iris*
• źrenica	• *pupil*
• więzadła podtrzymujące	• *suspensory ligaments*
• ciało rzęskowe	• *ciliary body*
• soczewka	• *lens*
• komora tylna	• *posterior chamber*
• ciało szkliste	• *vitreous humour*
• tarcza nerwu wzrokowego	• *optic disc*
• nerw wzrokowy	• *optic nerve*

Choroby	Diseases
Polish	English
• amblyopia („leniwe oko")	• *amblyopia ("lazy eye")*
• astygmatyzm	• *astigmatism*
• dalekowzroczność	• *long-sightedness, metropia*
• daltonizm	• *color blindness*
• gradówka	• *chalazion*
• heterochromia, różnobarwność	• *heterochromia, difference in coloration*
• jaglica	• *trachoma*
• jaskra	• *glaukoma*
• jęczmień	• *hordeolum, stye*
• krótkowzroczność	• *short-sightedness, myopia*
• niedrożność kanalika łzowego	• *lacrimal canal occlusion*
• odklejenie siatkówki	• *retinal detachment*
• odwarstwienie rogówki	• *cornea detachment*
• pozagałkowe zapalenie nerwu wzrokowego	• *neuritis retrobulbaris*
• retinopatia	• *retinopathy*
• starczowzroczność	• *presbyopia*
• ślepota	• *blindness*
• ślepota rzeczna	• *river blindness*
• uszkodzenie wzroku	• *impaired vision*
• wrzód	• *ulcer*
• zaćma młodzieńcza	• *juvenile cataract*
• zaćma starcza	• *senile cataract, opacity*
• zanik nerwu wzrokowego	• *optic atrophy*
• zapalenie brzegów powiek	• *blepharitis*
• zapalenie nerwu wzrokowego	• *optic neuritis*
• zapalenie spojówek	• *conjunctivitis*
• zez z. rozbieżny z. zbieżny	• *strabismus, cross-eye, squint* *external s.* *internal s.*
• zwyrodnienie	• *degeneration*

Objawy Polish	Symptoms English
• anizokoria, nierówność źrenic	• *anisocoria*
• białawy wysięk	• *cottonwool exudate*
• błyski	• *flahes, photopsia*
• ból głowy	• *headache*
• ból oczu	• *pain of the eyes*
• daltonizm	• *deuteranopia*
• guzek	• *cyst*
• hemianopsja, niedowidzenie połowiczne	• *hemianopsia, hemanopia*
• heterochromia	• *heterochromia*
• infekcje pasożytnicze	• *parasitic infestation*
• krwotok	• *haemorrhage*
• leiszmanioza	• *leishmaniasis*
• łzawienie	• *lacrimation, crying*
• makulopatia	• *maculopathy*
• mioza, zwężenie źrenicy	• *miosis*
• mruganie	• *winking*
• mrużenie oczu	• *eye narrowing, squinting*
• nadwrażliwość na światło, światłowstręt	• *photophobia*
• niedomykalność powiek	• *defective closure*
• niedowidzenie	• *impaired vision, amblyopia*
• niedowidzenie barw	• *color amblyopia*
• niewyraźne widzenie na odległość	• *blurred long-distance vision*
• niewyraźne widzenie z bliska	• *blurred short-distance vision*
• nyktalopia, kurza ślepota, ślepota zmierzchowa	• *nyctalopia*
• obrzęk powieki	• *lidoedema*
• oczopląs	• *involuntary eye movement, nystagmus*
• ograniczona ruchomość oka	• *restricted eye mobility*
• opadanie powiek	• *drooping of the lid, ptosis*
• osłabienie ostrości wzroku	• *decrease of vision acuity*
• owrzodzenie	• *ulceration*
• przekrwienie gałki ocznej	• *hyperaemia*
• ropna wydzielina	• *mucopurulent discharge, pus*
• ślepota śnieżna	• *photokeratitis, snowblindness*
• ubytek pola widzenia, mroczek	• *loss of field of vision, scotoma*
• widzenie podwójne	• *diplopia*
• widzenie za mgłą	• *mist over the cornea*
• wydzielina z oka	• *secretion from the eye*
• wytrzeszcz	• *exophthalmos*
• wzrost ciśnienia w gałce ocznej	• *increased pressure in the eyeball*
• zaburzenia w widzeniu kolorów	• *colour vision deficiency*

• zaczerwienienie oka	• *red eye*
• zamazane, niewyraźne widzenie	• *blurred vision*
• zapadnięcie gałki ocznej, enoftalmia	• *eyeball recession, enophthalmos*
• zawroty głowy	• *vertigo*
• zespół Hornera	• *Horner's syndrome*
• zespół mokrego oka	• *wet-eye syndrome*
• zespół suchego oka	• *dry-eye syndrome*
• zmęczenie wzroku	• *vision-tiredness*

Ucho
The ear

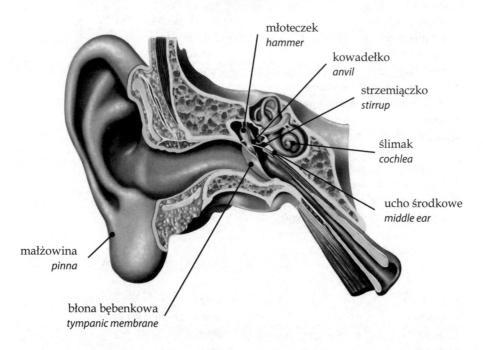

młoteczek
hammer

kowadełko
anvil

strzemiączko
stirrup

ślimak
cochlea

ucho środkowe
middle ear

małżowina
pinna

błona bębenkowa
tympanic membrane

Struktura	Structure
Polish	English
• ucho zewnętrzne	• *external ear*
małżowina uszna	*pinna (auricle)*
zewnętrzny kanał słuchowy	*external auditory canal*
jama bębenkowa	*tympanic cavity*
• ucho środkowe	• *middle ear*
błona bębenkowa	*tympanic membrane*
kość skroniowa	*temporal bone*
młoteczek	*hammer*
kowadełko	*anvil*
strzemiączko	*stirrup*
• ucho wewnętrzne	• *internal ear (labirynth)*
przedsionek	*vestibule*
okienko owalne	*oval window*
ślimak	*cochlea*
kanał półkolisty	*semicircular canal*
nerw strzemiączkowy	*stapedius nerve*
mięsień strzemiączkowy	*stapedius muscle*

Choroby i zaburzenia	Diseases and disorders
Polish	English
• czyrak	• *furuncle, boil*
• nagła głuchota	• *sudden deafness*
• odmrożenie	• *frostbite*
• osteoskleroza	• *osteosclerosis*
• poparzenie	• *burn*
• starcze przytępienie słuchu	• *presbyacusis*
• ucho boksera (kalafiorowate)	• *wrestler's (cauliflower) ear*
• uraz	• *trauma*
• zapalenie błony bębenkowej	• *myringitis*
• zapalenie trąbki słuchowej	• *eustachitis*
• zapalenie ucha środkowego	• *otitis media*
• zapalenie ucha wewnętrznego	• *otitis interna*
• zapalenie ucha zewnętrznego	• *external otitis*
• zatkanie przewodu słuchowego	• *obstruction*

Objawy	Symptoms
Polish	English
• ból ucha	• *earache*
• głuchota	• *deafness, hearing impairment*
• gorączka	• *fever*
• guzek	• *lump*
• krwotok z ucha	• *bleeding from the ear, otorrhagia*
• nudności	• *nausea*
• postępujący niedosłuch	• *progressive hearing loss*
• ropa	• *pus*
• szum, dzwonienie w uszach	• *tinnitus, ear noises*
• utrata słuchu	• *hearing loss*
• „woskowina w uchu"	• *impacted ear wax*
• wyciek płynu z ucha	• *otorrhoea*
• wydzielina z ucha	• *otorrhoea, discharge from the ear*
• wymioty	• *vomiting*
• wysoka gorączka	• *high fever*
• zmęczenie	• *fatigue*
• zmiana ciśnienia	• *changes in pressure*

Układ dokrewny
Endocrine system

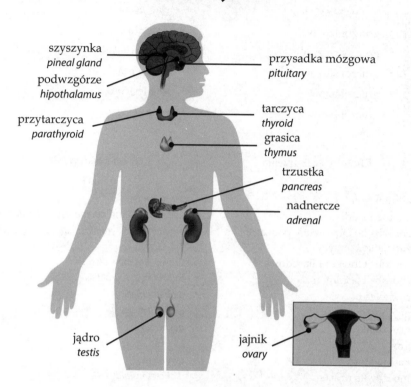

szyszynka
pineal gland
podwzgórze
hipothalamus

przysadka mózgowa
pituitary

przytarczyca
parathyroid

tarczyca
thyroid
grasica
thymus

trzustka
pancreas

nadnercze
adrenal

jądro
testis

jajnik
ovary

Struktura	*Structure*
Polish	English
• podwzgórze	• *hypothalamus*
• szyszynka	• *pineal*
• przysadka mózgowa	• *pituitary*
• tarczyca	• *thyroid*
• przytarczyce	• *parathyroid*
• grasica	• *thymus*
• trzustka	• *pancreas*
• komórki wysp trzustkowych (Langerhansa)	• *islets of Langerhans*

• nadnercze
   kora
   rdzeń
	• *adrenal*
	   cortex
	   medulla

• jajnik, jajniki (pl.)	• *ovary, ovaries (pl.)*
• jądro, jądra (pl.)	• *testis, testes (pl.)*

Gruczoły wydzielania wewnętrznego (dokrewne)/*Endocrine glands*

Gruczoły wydzielania zewnętrznego/*Exocrine glands*

- gruczoły ślinowe, ślinianki
  - przyuszna
  - podżuchwowa
  - podjęzykowa
- gruczoł łzowy
- gruczoł sutkowy
- gruczoł śluzowy
- gruczoł łojowy
- gruczoł potowy

- *salivary glands*
  - *parotid*
  - *submandibular*
  - *sublingual*
- *lacrimal gland*
- *mammary gland*
- *mucous gland*
- *sebaceous gland*
- *sweat gland*

Choroby i zaburzenia	Diseases and disorders
Polish	English
• akromegalia	• *acromegaly*
• choroba Addisona, cisawica	• *Addison's disease, adrenocortical insufficiency*
• choroba de Quervaina, podostre zapalenie tarczycy	• *de Quervain's thyroiditis, subacute thyroiditis*
• choroba Gravesa i Basedowa	• *Graves–Basedow disease*
• choroba Hashimoto	• *Hashimoto's thyroiditis*
• cukrzyca	• *diabetes mellitus*
• gigantyzm	• *gigantism*
• gruczolak	• *adenoma*
• guz	• *tumour*
• karłowatość	• *dwarfism*
• moczówka prosta	• *diabetes insipidus*
• nadczynność tarczycy	• *hyperthyroidism*
• niedoczynność tarczycy	• *hypothyroidism*
• opóźnione dojrzewanie płciowe	• *delayed puberty*
• przedwczesne dojrzewanie płciowe	• *precocious puberty*
• świnka, nagminne zapalenie przyusznic	• *mumps, parotitis*
• tyreotoksykoza, nadczynność tarczycy	• *thyrotoxicosis, thyrois hyperactivity*
• wole	• *goitre*
• wyspiak	• *insulinoma*
• zapalenie tarczycy	• *thyroiditis*
• zespół Conna	• *Conn's syndrome*
• zespół Cushinga, nadczynność kory nadnerczy	• *Cushing's syndrome*
• zespół metaboliczny	• *metabolic syndrome*
• zespół złego wchłaniania	• *malabsorption syndrome*
• zespół Zollingera i Ellisona	• *Zollinger–Ellison syndrome*

Objawy	Symptoms
Polish	English
apatia	apathy
biegunka	diarrhoea
bierność	passiveness
drżenie	tremor
hiperglikemia, wysokie stężenie glukozy	hyperglicaemia, high glucose level
hipoglikemia, niskie stężenie glukozy	hypoglicaemia, low glucose level
hirsutyzm	hirsutism
nadciśnienie	hypertension
nadpobudliwość	hyperactivity, irritability
nerwowość	nervousness
nietolerancja na ciepło	heat intolerance
osłabienie	weakness
potliwość	sweating, hidrosis
suchość skóry	skin dryness, xerodermia
śpiączka	coma
tachykardia, przyspieszona akcja serca	tachycardia, faster heart rate
uczucie ciągłego głodu	permanent hunger, polyphagia
utrata masy ciała/wagi, chudnięcie	weight loss
utrata świadomości	loss of consciousness
wielomocz, częste oddawanie moczu	poliuria, frequent urination
wytrzeszcz oczu	exophthalmos
zaburzenia wzroku	visual disturbances
zanik/atrofia mięśni	myoatrophy
zaparcia	constipation

Układ rozrodczy
Reproductive system

Żeński układ rozrodczy
Female reproductive system

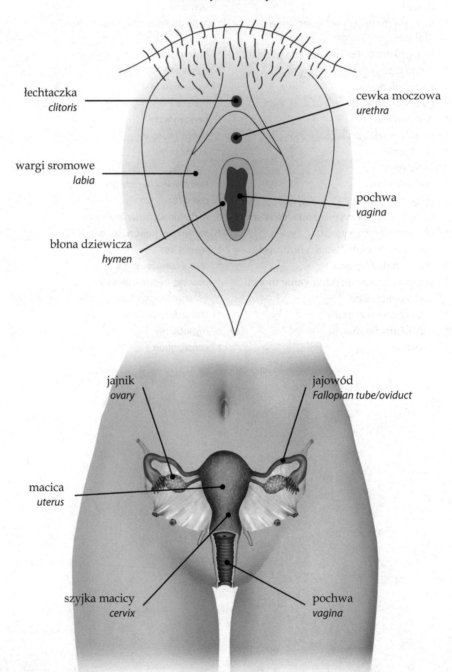

łechtaczka
clitoris

cewka moczowa
urethra

wargi sromowe
labia

pochwa
vagina

błona dziewicza
hymen

jajnik
ovary

jajowód
Fallopian tube/oviduct

macica
uterus

szyjka macicy
cervix

pochwa
vagina

Męski układ rozrodczy
Male reproductive system

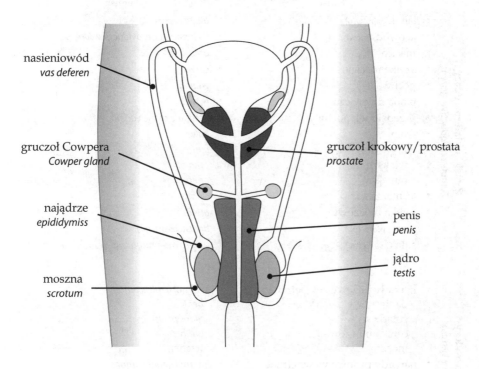

nasieniowód
vas deferen

gruczoł Cowpera
Cowper gland

najądrze
epididymiss

moszna
scrotum

gruczoł krokowy/prostata
prostate

penis
penis

jądro
testis

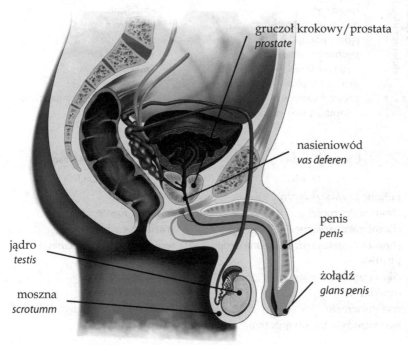

gruczoł krokowy/prostata
prostate

nasieniowód
vas deferen

penis
penis

żołądź
glans penis

jądro
testis

moszna
scrotumm

Struktura	Structure
Polish	English

Żeński układ rozrodczy / *Female reproductive system*

• jajnik, jajniki (pl.)	• *ovary, ovaries (pl.)*
• jajowód, jajowody (pl.)	• *Fallopian tube, oviduct, oviducts (pl.)*
• macica	• *uterus*
• szyjka macicy	• *cervix*
• pochwa	• *vagina*
• błona dziewicza	• *hymen*
• przedsionek pochwy	• *vestibule of the vagina*
• srom	• *vulva*
• wargi sromowe	• *labia*
większe	*major*
mniejsze	*minor*
• łechtaczka	• *clitoris*
• cewka moczowa	• *urethra*
• pierś, piersi (pl.)	• *breast, breasts (pl.)*
• sutek, sutki (pl.)	• *breast, mamma, breasts (pl.)*

Męski układ rozrodczy / *Male reproductive system*

• narządy płciowe zewnętrzne	• *external genital organs*
penis	*penis*
żołądź	*glans penis*
cewka moczowa	*urethra*
moszna	*scrotum*
• narządy płciowe wewnętrzne	• *internal genital organs*
najądrze	*epididymis*
nasieniowód	*vas deferen*
jądro, jądra (pl.)	*testis, testes (pl.)*
pęcherzyk nasienny,	*seminal vesicle,*
pęcherzyki nasienne (pl.)	*seminal vesicles (pl.)*
gruczoł krokowy, prostata	*prostate*
gruczoł Cowpera (opuszkowo-cewkowy)	*Cowper's (bulbourethral) gland*

Choroby i zaburzenia	Diseases and disorders
Polish	English
• bolesne miesiączkowanie	• *dysmenorrhea*
• choroba Peyroniego	• *Peyronie's disease*
• choroby weneryczne	• *veneral diseases (VD)*
• choroby/infekcje przenoszone drogą płciową	• *sexually transmitted diseases (STD)/ /infections (STI)*
• ciąża pozamaciczna	• *ectopic pregnancy*
• drożdżyca	• *candidiasis*
• endometrioza	• *endometriosis*
• hermafrodytyzm, obojnactwo	• *intersexuality*

- hipolibidemia, oziębłość seksualna
- HIV/AIDS
- kiła, syfilis
- kłykciny kończyste, brodawki weneryczne
- mięśniak
- niepłodność
- opryszczka narządów płciowych
- oziębłość płciowa

- przedwczesna menopauza

- rak jajnika
- rak jąder
- rak macicy
- rak penisa
- rak piersi
- rak szyjki macicy
- rak trzonu macicy
- rzeżączka
- rzęsistkowica
- świerzb
- wszy łonowe
- wytrysk przedwczesny
- zapalenie jajowodu
- zapalenie żołędzi
- zespół niewrażliwości na androgeny, zespół Morrisa

- *hypoactive sexual desire disorder (HSDD)*
- *HIV/AIDS*
- *syphilis*
- *genital warts*

- *myoma*
- *infertility*
- *genital herpes*
- *female sexual arousal disorder (FSAD), frigidity*

- *premature menopause, premature ovarian failure (POF)*

- *ovarian cancer*
- *testicular cancer*
- *uterine cancer*
- *penile cancer*
- *breast cancer*
- *cervical cancer*
- *endometrial cancer*
- *gonorrhea*
- *trichomoniasis, trich*
- *scabies*
- *crab lice*
- *premature ejaculation*
- *salpingitis*
- *balanitis*
- *androgen insensitivity syndrome, Morris syndrome*

Objawy	Symptoms
Polish	English
• bezsenność	• *insomnia*
• bolesne oddawanie moczu	• *painful voiding, painful urination*
• ból miedniczy	• *pelvic pain*
• ból podczas stosunku	• *pain during intercourse, dyspareunia*
• częste oddawanie moczu	• *urinary frequency*
• depresja	• *depression*
• dreszcze	• *chills*
• guzek	• *lump*
• krwawienie	• *bleeding*
• kurcze, spazmy	• *cramps*
• miesiączka, okres, menstruacja	• *period, menstruation*
• nagłe parcie na mocz	• *urinary urgency*
• niepokój	• *anxiety*

• nocne poty	• *night sweats*
• osłabienie	• *weakness*
• pieczenie	• *burning*
• pierwsza miesiączka	• *menarche*
• podrażnienie	• *irritation*
• potliwość	• *sweating, hidrosis*
• powiększenie	• *enlargement*
• przewlekłe złe samopoczucie	• *malaise*
• przewlekłe zmęczenie	• *fatigue*
• skrzep	• *clot*
• suchość pochwy	• *vaginal dryness*
• świąd	• *itching*
• uderzenia gorąca, wary	• *hot flushes*
• upławy	• *discharge*
• utrata masy ciała, chudnięcie	• *weight loss*
• utrata włosów	• *hair loss*
• wydzielina	• *discharge*
• wysypka	• *rash*
• wzdęcia	• *bloating*
• zmiany nastroju	• *mood swings*

Rozdział 2

Praktyczna terminologia kliniczna
Practical medical terminology

Pediatria
Pediatrics

Choroby, zaburzenia wieku dziecięcego i ich objawy	*Childhood diseases, disorders and their symptoms and signs*
Polish	English
• anoreksja, brak łaknienia	• *anorexia*
• arytmia	• *arrhythmia*
• bezdech	• *apnoea*
• białaczka	• *leukaemia*
• biegunka	• *diarrhoea*
• bladość	• *pallor*
• blizna po ospie, „dziob"	• *pockmark*
• błonica, dyfteryt	• *diphteria*
• ból brzucha	• *abdominal pain*
• ból gardła	• *sore throat*
• ból głowy	• *headache*
• ból mięśni i stawów	• *bone and joint pain*
• ból ucha	• *earache*
• brak uwagi, nieuwaga	• *inattention*
• choroba Heinego-Medina, polio	• *poliomyelitis*
• choroba Kawasakiego	• *Kawasaki disease*
• chrypka	• *hoarseness*
• czerwony „malinowy" język	• *red "strawberry" tongue*
• deformacja szkieletu	• *skeletal deformity*
• drgawki	• *convulsions, fits, seizures*
• duszność	• *dyspnoea*
• gorączka	• *fever*
• grudka	• *papule*

• guz, nowotwór	• *tumor*
• hipokalcemia	• *hypocalcemia*
• impulsywność	• *impulsivity*
• kaszel napadowy	• *paroxysmal cough*
• katar, sapka	• *coryza*
• krup, podgłośniowe zapalenie krtani	• *croup, laryngotracheobronchitis*
• krztusiec, koklusz	• *pertussis, whooping cough*
• krzywica	• *rickets*
• limfadenopatia, powiększenie węzłów chłonnych	• *lymphadenopathy*
• łuszczenie	• *desquamation, peeling*
• mialgia, ból mięśniowy	• *myalgia, muscle pain*
• nadpobudliwość	• *hyperactivity*
• nalot	• *deposit, fur*
• neuropatia obwodowa	• *peripheral neuropathy*
• niewydolność sercowa	• *heart failure*
• nudności	• *nausea*
• obrzęk	• *oedema*
• ogólne złe samopoczucie	• *malaise*
• opóźnienie umysłowe	• *mental retardation*
• opóźniony rozwój	• *growth retardation*
• opuchlizna	• *swelling*
• ospa wietrzna, wiatrówka	• *chickenpox*
• paraliż	• *paralysis*
• parestezja, czucie opaczne	• *paresthesia*
• plamki Koplika	• *Koplik's spots*
• płonica, szkarlatyna	• *scarlet fever*
• porażenie mięśni	• *nerve palsy*
• półpasiec	• *shingles*
• przepuklina	• *hernia*
• przeziębienie	• *coryza, head cold, common cold*
• różyczka	• *rubella, German measles*
• rumień	• *erythema*
• rumień nagły	• *roseola infantum*
• sepsa, posocznica	• *sepsis*
• stridor, świst krtaniowy	• *stridor*
• swędzenie, świąd	• *itching*
• szczekający kaszel	• *barking cough*
• szybkie tętno	• *rapid pulse*
• świnka	• *mumps*
• tendencja do szybkiego krwawienia i sinienia	• *easy bleeding and bruising tendency*
• tężyczka	• *tetany*
• trudności w oddychaniu	• *difficult breathing*
• udar	• *stroke*
• utrata przytomności	• *loss of consciousness*

• utrudnione połykanie	• *difficulty in swallowing*
• wada rozwojowa	• *malformation, developmental anomaly*
• wgłobienie klatki piersiowej	• *chest wall indrawing*
• wysypka	• *rash*
• zaburzenia poznawcze	• *cognitive defect*
• zapalenie jąder	• *orchitis*
• zapalenie mięśnia sercowego	• *myocarditis*
• zapalenie mózgu	• *encephalitis*
• zapalenie płuc	• *pneumonia*
• zapalenie przyusznic	• *parotitis*
• zapalenie spojówki	• *conjunctivitis*
• zapalenie trzustki	• *pancreatitis*
• zapalenie ucha środkowego	• *otitis media*
• zapalenie wątroby, *hepatitis*	• *hepatitis*
• zasinienie	• *cyanosis*
• zatrucie, intoksykacja	• *poisoning, itoxication*
• zespół nadpobudliwości psychoruchowej z deficytem uwagi (ADHD)	• *attention deficit hyperactivity disorder (ADHD)*
• złamanie	• *fracture*
• zniekształcenia kostne	• *skeletal deformity*

Geriatria
Geriatrics

Choroby, zmiany wieku starczego i ich objawy	*Diseases, changes of the elderly and their symptoms*
Polish	English
• andropauza	• *andropause*
• ból promieniujący	• *radiating pain*
• ból w stawach	• *joint pain*
• choroba Alzheimera	• *Alzheimer's disease*
• choroba Parkinsona	• *Parkinson's disease*
• choroba zwyrodnieniowa stawów	• *degenerative arthritis*
• cukrzyca typu 2	• *type 2 diabetes*
• demencja	• *dementia*
• dystrofia mięśniowa, zanik mięśni	• *muscular dystrophy*
• hipotermia	• *hypothermia*
• irytacja	• *irritation*
• jaskra	• *glaucoma*
• łysienie, alopecia	• *baldness, alopecia*
• menopauza	• *menopause*
• miażdżyca	• *atherosclerosis*

• nadciśnienie tętnicze	• *hypertension arterialis*
• nadwzroczność starcza, starczowzroczność	• *presbiopia*
• napięcie mięśni	• *muscle tension*
• niepełnosprawność	• *impairment, disability, handicap*
• niepokój	• *anxiety*
• nietrzymanie moczu	• *incontinence*
• nocne poty	• *night sweats*
• osłabienie	• *weakness*
• ostatnia miesiączka	• *last menstruation*
• osteoporoza	• *osteoporosis*
• palenie (np. w przełyku)	• *burning*
• pogorszenie ostrości wzroku	• *vision deterioration*
• pogorszenie słuchu	• *hearing deterioration*
• potliwość (wzmożona)	• *sweating, hidrosis*
• powiększenie	• *enlargement*
• przerost prostaty	• *prostatic hyperplasia*
• przewlekłe zmęczenie	• *fatigue*
• reumatoidalne zapalenie stawów	• *rheumatoid arthritis*
• stłuszczenie wątroby	• *fatty degeneration of the liver*
• suchość pochwy	• *vaginal dryness*
• swędzenie	• *itching*
• sztywność mięśni	• *muscle tightness*
• toczeń rumieniowaty	• *lupus erythematosus*
• udar	• *stroke*
• upadek	• *fall*
• utrata masy ciała/wagi	• *weight loss*
• utrata masy kości	• *loss of bone mass*
• utrata masy mięśni	• *loss of muscles*
• utrata włosów	• *hair loss*
• wary	• *hot flushes*
• wydłużony czas reakcji	• *prolonged reaction time*
• wydzielina	• *discharge*
• wydzielina, upławy	• *discharge*
• wysypka	• *rash*
• wzdęcia	• *bloating*
• zaćma, katarakta	• *cataract*
• zakrzep, skrzeplina	• *clot*
• zesztywniające zapalenie stawów kręgosłupa	• *ankylosing spondylitis*
• złe samopoczucie	• *malaise*
• zmiany nastroju	• *mood swings*
• zmniejszenie elastyczności skóry	• *reduction of skin elasticity*
• zniekształcenia stawów	• *joints deformation*

Psychiatria
Psychiatry

Choroby, zaburzenia psychiczne i ich objawy	*Psychiatric diseases, disorders and their symptoms and signs*
Polish	English
abulia	*abulia*
acedia	*acedia*
afekt	*affect*
agelia	*inability to laugh*
alkoholizm	*alcoholism*
amok	*amok*
anoreksja	*anorexia*
apatia	*apathy*
autoagresja	*self-agression*
autyzm	*autism*
bezsenność	*insomnia, sleeplessness*
ból fantomowy	*phantom pain*
bulimia	*bulimia*
choroba sieroca	*hospitalism*
deficyt uwagi	*attention defficit*
déjà vu	*deja vu*
depresja	*depression*
depresja poporodowa	*postpartum depression (PPD)*
dysforia	*dysphoria*
dysgrafia	*dysgraphia*
dyskalkulia	*dyscalculia, maths disability*
dysleksja	*dyslexia*
dysortografia	*dysorthography*
dyspraksja	*developmental dyspraxia*
dyssemia	*dyssemia*
egocentryzm	*egocentrism*
ekshibicjonizm	*exhibitionism*
euforia	*euphoria*
fobia	*phobia*
giętkość woskowa	*waxy flexibility*
halucynacje	*halucinations*
heroinizm	*heroin addiction*
hipochondria	*hypochondria*
histeria	*hysteria*
infantylizm	*infantilism*
inkoherencja	*incoherence*
jamais vu	*jamais vu*
klaustrofobia	*claustrophobia*
kleptomania	*kleptomania*

• koprolalia	• *coprolalia (involuntary swearing)*
• labilność emocjonalna	• *emotional dysregulation (ED), mood swings*
• lęk	• *anxiety, fear*
• lęk wysokości	• *fear of hight*
• mania	• *mania*
• megalomania	• *megalomania*
• morfinizm	• *morphine addiction*
• myślenie magiczne	• *magic thinking*
• myślenie życzeniowe	• *wishful thinking*
• myśli samobójcze	• *suicidal thoughts*
• natręctwa	• *obsessions*
• natręctwa myśli	• *intrusive thoughts*
• nerwica	• *neurosis*
n. lękowa	*ankiety n.*
n. natręctw	*obsessive-compulsive n.*
• nikotynizm	• *nicotine addiction*
• objaw Aschaffenburga	• *Aschaffenburg syndrome*
• omamy rzekome, pseudohalucynacje	• *pseudohallucination*
• osłupienie, stupor	• *stupor*
• palilalia	• *palilalia*
• paragelia	• *improper laughter*
• parasomnia	• *parasomnia*
• patologiczny hazard	• *pathological gambling*
• piromania	• *pyromania*
• pobudzenie psychoruchowe	• *psychomotor agitation*
• poriomania, dromomania	• *dromomania, travelling fugue*
• przeżuwanie	• *rumination*
• przyspieszenie myślenia, gonitwa myśli	• *tachyfrenia*
• pseudologia, kłamstwo patologiczne	• *pseudologia fantastica, pathological lying*
• psychoza amfetaminowa	• *stimulant psychosis*
• rozkojarzenie	• *distractedness, absent-mindedness*
• samookalecznie	• *self-inflicted wounds*
• samouszkodzenie	• *self-harm*
• schizofazja	• *schizophasia, word salad*
• schizofrenia	• *schizophrenia*
• socjopatia	• *sociopathy*
• splątanie	• *mental confusion*
• spowolnienie psychoruchowe	• *psychomotor retardation*
• sprawiedliwość immanentna	• *immanent justice*
• transseksualizm	• *transsexualism*
• transwestytyzm	• *transvestism*
• upośledzenie umysłowe	• *mental impairment*
• urojenie	• *delusion*
• urojenie depresyjne	• *depressive delusion*
• urojenie ksobne	• *delusion of reference*

• urojenie nihilistyczne	• *nihilistic delusion, delusion of negation*
• urojenie prześladowcze	• *delusion of persecution*
• urojenie wielkościowe	• *delusion of grandeur*
• wtórny zespół stresu pourazowego (STSD)	• *secondary traumatic stress disorder (STSD), compassion fatigue*
• zaburzenia obsesyjno-kompulsywne (ZOK)	• *obsessive-compulsive disorder (OCD)*
• zaburzenie afektywne dwubiegunowe	• *bipolar disorder*
• zakupoholizm	• *shopaholism*
• zespół abstynencyjny	• *withdrawal syndrome*
• zespół nadpobudliwości psychoruchowej z deficytem równowagi (ADHD)	• *attention defficit hyperactivity disorder (ADHD)*
• zespół stresu pourazowego (PTSD)	• *posttraumatic stress disorder (PTSD)*
• zespół Touretta	• *Tourette syndrome*
• złudzenie	• *illusion*

Choroby zakaźne
Infectious diseases

Choroby zakaźne i zaburzenia	*Infectious diseases and disorders*
Polish	English
• AIDS	• *AIDS*
• ameba	• *amebiasis*
• błonica, dyfteryt	• *diphteria*
• borelioza	• *Lyme disease, Lyme borreliosis*
• botulizm, zatrucie jadem kiełbasianym	• *botulism*
• cholera	• *cholera*
• choroba Creutzfelda-Jakoba	• *Creutzfeld-Jakob disease (CJD)*
• choroba Heinego-Medina, polio	• *poliomyelitis*
• choroba Kawasakiego	• *Kawasaki disease*
• choroba legionistów, legioneloza	• *legionellosis, legionnaire's disease*
• choroba menigokokowa	• *meningococcal disease*
• drożdżyca, kandydoza	• *candidiasis, thrush*
• dżuma	• *plague*
• glistnica	• *ascariasis*
• gorączka denga	• *dengue fever*
• gorączka krwotoczna	• *hemorrhagic fever*
• gorączka Lassa	• *Lassa fever*
• gorączka Zachodniego Nilu	• *West Nile fever*
• gruźlica, tuberkuloza (TB)	• *tuberculosis (TB)*
• grypa	• *influenza*
• hantawirusowy zespół płucny	• *hantavirus pulmonary syndrome (HPS)*
• infekcja rotawirusowa	• *rotavirus infection*

• kiła, syfilis	• *syphylis*
• krztusiec, koklusz	• *pertussis, whooping cough*
• leiszmanioza	• *leishmaniasis*
• malaria	• *malaria*
• marburska gorączka krwotoczna	• *Marburg hemorrhagic fever*
• odra	• *measles*
• opryszczka, zimno, febra	• *herpes simplex infection, cold sores, fever blisters*
• ospa prawdziwa, czarna ospa	• *smallpox*
• ospa wietrzna, wiatrówka	• *chickenpox*
• półpasiec	• *shingles*
• przeziębienie	• *common cold, acute coryza*
• różyczka	• *rubella*
• rzeżączka	• *gonorrhea*
• salmonella	• *salmonellosis*
• sepsa, posocznica	• *sepsis*
• ślepota rzeczna	• *onchocerciasis, river blindness*
• świerzb	• *scabies*
• tężec	• *tetanus, lockjaw*
• toksoplazmoza	• *toxoplasmosis*
• trąd	• *leprosy*
• wąglik	• *anthrax*
• wszy łonowe	• *pediculosis pubis, crab, pubic lice*
• wścieklizna	• *rabies*
• zakażenie chlamydią	• *Chlamydia infection*
• zakażenie *Helicobacter pylori*	• *Helicobacter pylori infection*
• zakażenie tęgoryjcem dwunastnicy	• *hookwarm infection*
• zapalenie opon mózgowych	• *meningitis*
• zapalenie płuc	• *pneumonia*
• zapalenie wątroby	• *hepatitis*
• zespół ostrej niewydolności oddechowej (SARS)	• *severe acute respiratory syndrome (SARS)*
• żółta febra	• *yellow fever*

Choroby zawodowe
Occupational diseases

Choroby zawodowe, zaburzenia, objawy i powikłania	Occupational diseases and disorders, symptoms and complications
Polish	English
• astma zawodowa	• *occupational asthma*
• atopowe zapalenie skóry (AZS), egzema, wyprysk	• *atopic dermatitis, eczema*
• azbestoza, pylica azbestowa	• *asbestosis*

• beryloza	• *berylliosis*
• bezdech	• *apnoea*
• bezsenność	• *insomnia*
• biegunka	• *diarrhoea*
• bladość	• *pallor*
• ból brzucha	• *abdominal pain*
• ból głowy	• *headache*
• choroba hodowców gołębi	• *pigeon-breeders' disease*
• choroba hodowców ptaków	• *bird-breeders' disease*
• choroba mikrofalowa, telegrafistów	• *electromagnetic radiation exposure syndrome*
• choroba tęgoryjcowa	• *miner's disease, hookwarm disese*
• choroba wibracyjna	• *vibration disease*
• choroba wysokościowa	• *altitude disease*
• chrypka	• *hoarseness*
• delirium	• *delirium*
• depresja	• *depression*
• drażliwość nerwowa	• *irritability*
• drgawki	• *convulsions*
• drżenie	• *tremor*
• duszność	• *dyspnoea*
• gorączka Zachodniego Nilu	• *West Nile fever*
• halucynacje	• *hallucinations*
• katar, sapka	• *runny nose, coryza*
• napad drgawek	• *seizure*
• niewydolność nerek	• *kidney failure*
• obniżenie ciśnienia krwi	• *hypotension*
• ogólne osłabienie	• *malaise*
• opadanie nadgarstka	• *wrist drop*
• opadanie stopy	• *foot drop*
• plwocina	• *sputum*
• płuco farmera	• *farmer's lung disease*
• pokrzywka	• *urticaria*
• pylica	• *chalicosis*
• pylica aluminiowa	• *aluminium lung*
• pylica górników kopalń węgla	• *coal-miners' disease*
• pylica płuc	• *pneumoconiosis*
• rozedma	• *emphysema*
• szczekający kaszel	• *barking cough*
• szybkie męczenie	• *easy fatigue*
• szybkie oddychanie	• *tachypnea, rapid breathing*
• tularemia	• *deer-fly disease, tularemia*
• utrata apetytu	• *loss of appetite*
• utrata pamięci	• *memory loss*
• utrata przytomności	• *loss of consciousness*
• zaburzenia procesów poznawczych	• *cognitive deficit*

• zasinienie	• *cyanosis*
• zatrucie ołowiem, ołowica	• *lead poisoning, plumbism*
• zatrucie organizmu, intoksykacja	• *intoxication*
• zespół cieśni nadgarstka	• *carpal tunel syndrome*
• żółta febra	• *yellow feler*

Ginekologia i położnictwo
Gynecology and obstetrics

Antykoncepcja, ciąża i poród	*Contraception, pregnancy and labor*
Polish	English
• antykoncepcja, kontrola urodzeń	• *contraception, birth control*
• bezpłodność	• *infertility*
• ciąża	• *pregnancy, gestation*
• ciąża mnoga	• *multiple pregnancy*
• ciąża pozamaciczna	• *ectopic pregnancy*
• ciąża rzekoma	• *hysteric pregnancy*
• ciąża wysokiego ryzyka	• *high-risk pregnancy*
• cięcie cesarskie	• *caesarean section, caesarean cut*
• diafragma, kapturek	• *cap*
• dystocja, niewspółmierność	• *dystonia*
• laktacja	• *lactation*
• łożysko przodujące	• *placenta praevia*
• łożysko zatrzymane	• *retained placenta*
• małowodzie	• *oligohydramnios*
• nadciśnienie u ciężarnych	• *pregnancy-induced hypertension*
• nieprawidłowe przodowanie płodu	• *fetal malpresentation*
• nieródka, kobieta, która nigdy nie była w ciąży	• *nulligravida*
• nieródka, kobieta, która nigdy nie rodziła	• *nullipara*
• pierwiastka, pacjentka w pierwszej ciąży	• *primigravida*
• pierworódka, jednoródka	• *primipara*
• plamienie z pochwy	• *vaginal blood spotting*
• połóg	• *post partum period, puerperium*
• poronienie	• *abortion*
• poronienie chybione	• *missed abortion*
• poronienie nawykowe	• *habitual abortion*
• poronienie nieuchronne	• *inevitable abortion*
• poronienie spontaniczne	• *spontaneous abortion*
• poronienie zagrażające	• *threatened abortion*
• poród	• *labor, birth, partus, parturition*

poród	*labor, delivery, confinement, childbirth*
poród bezbolesny	*painless labor*
poród bliźniaczy	*twin labor*
poród fizjologiczny	*physiological labor*
poród kleszczowy	*forceps labor*
poród mnogi	*multiple labor*
poród nagły	*precipitated delivery*
poród o czasie	*term delivery*
poród opóźniony	*delayed labor*
poród po czasie	*post-term labor*
poród pośladkowy	*breech, buttock labor*
poród powikłany	*complicated labor*
poród pozorny	*false labor*
poród prawidłowy	*normal delivery*
poród przedwczesny	*preterm, premature labor*
poród przy użyciu narzędzi	*instrumental labor*
poród siłami natury	*spontaneous labor*
poród wspomagany	*assisted labor*
poród wywołany	*induced, artificial labor*
prezerwatywa	*sheath, condom*
przedwczesne oddzielenie łożyska	*placental abruption*
przedwczesne odejście wód płodowych	*premature rupture of membranes*
rozerwanie macicy	*uterus rupture*
rozerwanie, pęknięcie krocza	*perineal laceration*
rozszerzenie szyjki	*cervix dilation*
rzucawka porodowa	*eclampsia*
spirala, domaciczny środek antykoncepcyjny	*coil, intrauterine contraceptive device (IUD)*
stosunek (płciowy)	*intercourse, coitus*
tabletka antykoncepcyjna	*the pill*
ułożenie płodu, przodowanie	*fetal presentation*
normalne	*normal*
wierzchołkowe	*vertex*
pośladkowe	*breech*
czołowe	*brow*
twarzyczkowe	*face*
barkowe	*shoulder*
urodzenie martwego płodu	*stillbirth*
w 38. tygodniu ciąży	*in the 38th week of pregnancy*
wieloródka	*multigravida, multipara*
wielowodzie	*polyhydramnios*
wypadnięcie pępowiny	*cord prolapse*
zagrożenie płodu	*fetal distress*

Objawy	Symptoms and signs
Polish	English
• bladość	• *pallor*
• bolesność	• *soreness*
• cukrzyca	• *diabetes*
• cukrzyca ciężarnych	• *gestational diabetes*
• depresja poporodowa	• *postpartum depression*
• krwawienie	• *bleeding*
• krwotok	• *haemorrhage*
• łożysko zatrzymane	• *retained placenta*
• naciek	• *infiltration*
• nadciśnienie	• *hypertension*
• nadżerka	• *erosion*
• niedobór	• *deficiency*
• niedokrwienie	• *ischemia*
• nietrzymanie moczu	• *incontinence*
• niewydolność	• *failure, insufficiency*
• niskie ciśnienie, niedociśnienie	• *hypotension*
• nudności	• *nausea*
• obrzęk	• *oedema*
• obrzęk śluzowaty	• *myxoedema*
• odejście wód płodowych	• *amniorrhea*
• omdlenie	• *fainting, synkope*
• opóźnienie rozwoju	• *growth retardation*
• osłabienie	• *weakness*
• parcie na mocz/stolec	• *tenesmus*
• pęknięcie, rozerwanie	• *rupture*
• porażenie	• *paralysis*
• porażenie, niedowład	• *palsy*
• pragnienie	• *thirst*
• przekrwienie, zastój krwi	• *congestion*
• przemieszczenie narządu (wrodzone)	• *ectopia*
• przerost	• *hypertrophy*
• przerzut	• *metastasis*
• przesunięcie	• *displacement*
• przetoka	• *fistula*
• przybieranie na wadze	• *weight gain*
• rozszerzenie	• *dilation, dilatation, ectasia*
• skrzep	• *clot*
• skurcz	• *contraction*
• spaczone łaknienie	• *pica*
• świąd	• *pruritus*
• torbiel	• *cyst*
• ubytek, brak	• *defect*
• utrata masy ciała, chudnięcie	• *weight loss*

• uwięźnięcie	• *incarceration*
• wody płodowe	• *water, amniotic fluids*
• wyczerpanie	• *prostration*
• wymioty	• *vomiting*
• wysypka	• *rash, spots, eruption*
• zanik	• *atrophy*
• zapalenie	• *inflammation*
• złe samopoczucie	• *malaise*
• zniekształcenie	• *deformity*
• zwężenie	• *stenosis*
• zwłóknienie	• *fibrosis*
• zwyrodnienie	• *degeneration*

Typy chorób
Types of diseases

Choroby, wyrazy opisujące	*Diseases, descriptive words*
Polish	English
• autoimmunologiczna	• *autoimmune*
• bakteryjna	• *bacterial*
• bezobjawowa, asymptomatyczna	• *asymptomatic*
• bolesna	• *painful*
• czynna	• *active*
• długotrwała	• *inveterate, long-lasting*
• dokuczliwa	• *vexatious*
• dziecięca	• *paediatric*
• dziedziczna	• *hereditary*
• endemiczna	• *endemic*
• infekcyjna	• *infectious*
• istniejąca wcześniej	• *pre-existing*
• jatrogenna	• *iatrogenic*
• kobieca, ginekologiczna	• *gynaecological*
• łagodna	• *mild*
• metaboliczna	• *metabolic*
• nabyta	• *acquired*
• nawracająca	• *recurrent, relapsing*
• nieczynna	• *inactive*
• niepowikłana	• *uncomplicated*
• nieuleczalna	• *untreatable, incurable*
• niewykrywalna	• *undetactable*
• nowotworowa	• *neoplastic*
• o gwałtownym przebiegu	• *fulminating*
• objawowa	• *symptomatic*

odwracalna	*reversible*
ogólnoustrojowa	*systemic*
oporna na leczenie	*refractory, enduring*
ostra	*acute*
podlegająca zgłoszeniu	*notifiable*
podostra	*subacute*
podstępna	*insidious*
postępująca	*progressive*
powikłana	*complicated*
powszechna, częsta	*common, rife*
przewlekająca się	*acute-on-chronic*
przewlekła	*chronic*
psychiczna	*psychiatric*
psychosomatyczna	*psychosomatic*
rodzinna, występująca w rodzinie	*familial*
rozpoczynająca się	*incipient*
rzadka	*rare*
samoistna	*idiopathic*
sezonowa	*seasonal*
somatyczna	*somatic*
społeczna	*social*
szpitalna	*nosocomial*
śmiertelna	*fatal, lethal*
towarzysząca	*concomitant*
uaktywniona	*reactivated*
uporczywa	*persistent*
urazowa	*traumatic*
utajona	*latent*
wczesna	*early*
weneryczna	*sexually transmitted disease, veneric*
wewnętrzna	*internal*
wieku dziecięcego	*childhood*
wirusowa	*viral*
wrodzona	*inborn*
współistniejąca, współwystępująca	*co-existing*
wyniszczająca	*debilitating*
z nawrotami	*recurrent*
zaawansowana	*advanced*
zagrażająca życiu	*life-threatening*
zakaźna, zaraźliwa	*communicable, infectious, contagious*
zależna od stresu	*stress-related*
zapalna	*inflammatory*
zawodowa	*occupational*
zjadliwa	*virulent*
złośliwa	*pernicious, malignant*
zwyrodnieniowa	*degenerative*

Rodzaje bólu
Types of pain

Ból	Pain
Polish	English
• ciągły	• *continuous*
• drący	• *gnawing, grinding*
• drętwy	• *numb*
• dusznicowy	• *anginal*
• kłujący	• *stabbing*
• kolkowy	• *colicky*
• krótkotrwały	• *fleeting*
• kurczowy	• *crampy, cramplike*
• łagodny	• *mild*
• miejscowy, zlokalizowany	• *localized*
• nagły	• *sudden*
• nie do zniesienia	• *agonizing, insufferable*
• opasujący	• *girdle*
• ostry	• *acute, severe, sharp, cutting*
• piekący	• *burning, stinging*
• poporodowy	• *after*
• powierzchowny	• *superficial*
• promieniujący	• *radiating*
• przerywany	• *intermittent*
• przeszywający	• *piercing, darting*
• przewlekły	• *chronic*
• pulsujący	• *pulsating*
• rozdzierający	• *excruciating, crushing*
• rozległy	• *diffuse*
• silny	• *intense, heavy*
• słaby	• *tender*
• spazmatyczny	• *spasmodic*
• spoczynkowy	• *rest*
• stały	• *constant*
• ściskający	• *griping*
• świdrujący	• *boring*
• tępy	• *dull*
• uciskający	• *pressing*
• uogólniony	• *generalized*
• uporczywy	• *obstinate, persistent, stubborn*
• utrwalony	• *fixed*
• wędrujący	• *shifting, wandering*
• zaciskający	• *constricting*

Rozdział 3

Wizyta u lekarza
Visit to a doctor

Przed wizytą
Before a visit

Rejestracja na wizytę u lekarza w poradni	Making an appointment to a doctor at the outpatient clinic
Polish	English
P: Dzień dobry. Chciałbym zapisać kolegę do internisty na dzisiaj.	P: Good morning. I'd like to make an appointment with a GP for my friend.
R: Dzisiaj już nie umawiamy. Nie ma numerków.	R: Not for today. The GP is fully booked.
P: Ale kolega naprawdę bardzo źle się czuje.	P: But he's feeling really bad.
R: Dobrze. Sprawdzę raz jeszcze. Numerek 15 (piętnasty) do dr. Pietrzaka.	R: OK. I'll check once again. You have number 15 to Dr Pietrzak.

Nagły przypadek (1)	Emergency (1)
Polish	English
(Rozmowa dwóch studentów: S¹ i S²)	(A conversation between two students: S¹ and S²)
S¹: Bardzo źle się czuję. Mam uczulenie. Nie mogę oddychać.	S¹: I'm feeling really bad. I have an allergy. I can't breathe.
S²: Jedźmy do szpitala.	S²: Let's go to hospital.
S¹: W nocy?	S¹: At night?
S²: Jedźmy do izby przyjęć.	S²: Let's go to ER.
(W taksówce)	(In a taxi)
S²: Na alergologię. Na ostry dyżur!	S²: Allergology. ER!
T: Dokąd? Do którego szpitala?	T: Where? Which hospital?

S[2]: Do Barlickiego, do Szpitala Klinicznego numer 1.	S[2]: *Barlicki, University Hospital No 1.*
T: Gdzie to jest?	T: *Where is it?*
S[2]: Róg Kopcińskiego i Narutowicza.	S[2]: *On the corner of Kopciński and Narutowicz street.*
(Na izbie przyjęć)	*(ER)*
S[2]: Gdzie jest lekarz dyżurny?	S[2]: *Where is the doctor on duty?*

Nagły przypadek (2)	Emergency (2)
Polish	English
– Co się stało?	*– What's happened?*
– Był wypadek. Samochód potrącił tę kobietę.	*– There was an accident. A car hit this woman.*
– Proszę wezwać karetkę! Natychmiast!	*– Call an ambulance! Right now!*
– Numer 999 albo 112.	*– It's 999, or 112.*

Wywiad – pytania
Taking history – questions

Dane osobowe	Personal details
Polish	English
• Jak ma pan/pani na nazwisko?	• *What is your family name?*
• Jak ma pan/pani na imię?	• *What is your first name?*
• Jak się pan/pani nazywa?	• *What's your name?*
• Czy ma pan/pani drugie imię?	• *Do you have a middle name?*
• Czy używa pan/pani drugiego imienia?	• *Do you use your middle name?*
• Jaki jest pana/pani numer PESEL? = Proszę podać swój numer PESEL.	• *What is your personal identity number? = Give me your personal identity number.*
• Kiedy się pan/pani urodził/a? = Proszę podać swoją datę urodzenia.	• *When were you born? = Give me your date of birth.*
• Ile ma pan/pani lat?	• *How old are you?*
• Gdzie pan/pani mieszka?	• *Where do you live?*
• Jaki jest pana/pani adres?	• *What's your address?*
• Jaki jest pana/pani kod (pocztowy)?	• *What is your ZIP code?*
• Jaki jest pana/pani numer telefonu stacjonarnego/komórkowego? = Proszę podać numer telefonu kontaktowego.	• *What is your landline/mobile number? = Give me your (contact) telephone number.*
• Pani jest kobietą?	• *You are a woman, aren't you?*
• Pan jest mężczyzną?	• *You are a man, aren't you?*
• Czy jest pan żonaty/kawalerem?	• *Are you married/a bachelor? (to a man)*
• Czy jest pani mężatką?	• *Are you married? (to a woman)*

- Co pan/pani robi zawodowo?
- Jaki jest pana/pani zawód?
- Gdzie pan/pani pracuje?

- *What do you do for a living?*
- *What's your profession?*
- *Where do you work?*

Główna skarga chorego	Chief complaint (CC), main complaint
Polish	English
• Co pana/panią tu sprowadza?	• *What brings you here?*
• Co pana/panią sprowadza do gabinetu/przychodni?	• *What brings you to the surgery/clinic?*
• Co panu/pani dolega?	• *What seems to be the trouble?*
• Co panu/pani dolega?	• *What's the matter with you?*
• Co panu/pani najbardziej dokucza?	• *What troubles you most?*
• Jak się pan/pani czuje?	• *How are you feeling?*
• Na co się pan/pani uskarża?	• *What are your complaints?*
• Co się stało?	• *What happened?*
• Jakie ma pan/pani objawy?	• *What are your symptoms?*

Dolegliwości	Complaints
Polish	English
Lokalizacja/umiejscowienie bólu	**Location of the pain**
• Gdzie jest rana?	• *Where is the injury?*
• Gdzie pana/panią boli?	• *Where does it hurt?*
• Proszę mi pokazać, gdzie pana/panią boli.	• *Show me where the pain is.*
• W której części brzucha pana/panią boli?	• *In which part of your abdomen is the pain?*
• W którym miejscu zaczęło pana/panią boleć?	• *Where did the pain start?*
Promieniowanie bólu	**Radiation**
• Czy ból gdzieś promieniuje?	• *Does the pain radiate anywhere?*
• Czy boli w jednym miejscu?	• *Does the pain stay in one place?*
• Gdzie promieniuje?	• *Where does it radiate?*
Czas trwania bólu	**Duration**
• Od jak dawna pana/panią boli?	• *How long have you had this pain?*
• Od kiedy występują objawy/problemy?	• *When did the symptoms/problems start?*
• Kiedy zaczęło pana/panią boleć?	• *When did the pain start?*
• Od kiedy trwa ból?	• *How long have you been in pain?*
• Kiedy pan/pani po raz pierwszy to zauważył/a?	• *When did you first notice it?*

- Kiedy zaczął pan/zaczęła pani odczuwać ból?
- *When did you begin to feel this pain?*

- W jakich okolicznościach pana/panią boli?
- *In what circumstances do you feel the pain?*

- Czy wciąż pana/panią boli?
- *Do you still have the pain?*

- Czy ból ustąpił?
- *Has the pain gone away?*

Typ, rodzaj i natężenie objawów	Type, character and severity of symptoms

- Co powoduje ból?
- *What brings the pain on?*

- Jaki to jest rodzaj bólu?
- *What kind of pain is it?*

- Jaki charakter ma ten ból?
- *What is the character of this pain?*

- W jakiej kolejności następują objawy?
- *What is the sequence of symptoms?*

- Czy może pan/pani opisać ten ból?
- *Can you describe this pain?*

- Czy to jest ciągły ból czy powracający?
- *Is the pain continuous or does it come and go?*

Częstotliwość	Frequency

- Jak częste są ataki/bóle/bóle głowy?
- *How often are the attacks/pains/headaches?*

- Jak często boli?
- *How often does it hurt?*

Czynniki redukujące/potęgujące	Relieving/aggravating factors

- Czy coś potęguje/redukuje ból?
- *Does anything intensify/reduce the pain?*

- Czy coś zwiększa/zmniejsza ból?
- *Does anything make the pain worse/better?*

- Czy zmiana pozycji/sen/ /odpoczynek/jedzenie przynosi ulgę?
- *Does the position/sleep/rest/food make the pain better?*

- Czy zmiana pozycji/sen/odpoczynek/ /jedzenie potęguje ból?
- *Does the position/sleep/rest/food make the pain worse?*

- Czy coś przynosi ulgę/potęguje ból?
- *Does anything relieve/intensify the pain?*

- Czy przyjmuje pan/pani cokolwiek uśmierzającego ten ból?
- *Do you take any painkillers?*

Objawy towarzyszące	Associated symptoms

- Czy jakieś inne objawy towarzyszą bólowi?
- *Do other symptoms accompany this pain?*

- Czy jest coś jeszcze (oprócz bólu)?
- *Is there anything else (apart from the pain)?*

- Czy coś jeszcze towarzyszy temu bólowi?
- *Does anything else accompany the pain?*

Wpływ na funkcjonowanie	Effect on functioning

- Czy ból ma wpływ na pana/pani tryb życia/pracę/sen?
- *Does the pain affect your lifestyle/work/sleep?*

- Czy ból uniemożliwia panu/pani pracę/sen?
- *Does the pain stop you from working/sleeping?*

- Czy musiał/a pan/pani zmienić tryb życia z powodu bólu?
- *Did you have to change your lifestyle because of the pain?*

Pytania ogólne	General questions
Polish	English
• Czy przytył/a pan/pani ostatnio?	• *Have you gained any weight recently?*
• Czy stracił/a pan/pani na wadze ostatnio?	• *Have you lost any weight recently?*
• Jaki ma pan/pani apetyt?	• *How is your appetite?*
• Czy ma pan/pani problemy z wypróżnieniami?	• *What about your BMS?*

Uczulenia i nadwrażliwość na leki	Drug and allergy history
Polish	English
• Czy przyjmuje pan/pani obecnie jakieś leki?	• *Are you on any medications now?*
• Czy ostatnio zmieniał/a pan/pani jakieś leki?	• *Have you changed any medications recently?*
• Czy zmienił/a pan/pani ostatnio dawki leków?	• *Have you changed the dosage of any medications?*
• Czy samodzielnie zmienił/a pan/pani ostatnio dawki leków?	• *Have you changed the dosage of any medications yourself?*
• Czy przestrzegał/a pan/pani zaleceń lekarskich dotyczących dawkowania leków?	• *Have you been following the doctor's advice on the dosage of medications?*
• Czy przestrzegał/a pan/pani zaleceń lekarskich dotyczących czasu przyjmowania leków?	• *Have you been following the doctor's advice on the time you should take medication?*
• Czy przyjmuje pan/pani jakieś leki dostępne bez recepty?	• *Do you take any OTC drugs?*
• Jak często przyjmuje pan/pani te leki?	• *How often do you take these medications?*
• Czy ma pan/pani dziś ze sobą te lekarstwa?	• *Do you have these medications with you today?*
• Czy jest pan/pani uczulony/uczulona na jakieś leki?	• *Are you allergic to any medications?*
• Jak pan/pani reaguje na nie?	• *How do you react to them?*

Przebyte choroby	Past history (PH)
Polish	English
• Czy cierpi pan/pani na jakieś przewlekłe choroby: problemy z sercem, nadciśnienie, astmę, cukrzycę?	• *Do you suffer from any chronic diseases like heart problems, hypertension, asthma, diabetes?*
• Czy był/a pan/pani kiedyś w szpitalu? Z jakiego powodu?	• *Have you ever been hospitalized? What was the reason?*
• Czy był/a pan/pani kiedyś operowana?	• *Have you ever had any surgery?*

- Czy chorował/a pan/pani kiedykolwiek na gruźlicę, żółtaczkę, zapalenie płuc?

- *Have you ever had tuberculosis, jaundice, pneumonia?*

Wywiad rodzinny	Family history (FH)
Polish	English
Czy ktoś w pana/pani rodzinie chorował na jakieś przewlekłe choroby?	*Does anyone in your family suffer from any chronic disease?*
Czy ktoś w pana/pani rodzinie chorował na choroby układu krążenia?	*Does anyone in your family suffer from circulatory system diseases?*
Czy ktoś z pana/pani rodziny ma podobne problemy?	*Does anyone in your family have similar problems?*
Czy pan/pani rodzice żyją?	*Are your parents alive?*
W jakim są wieku?	*How old are they?*
Na co zmarł pan/pani ojciec/zmarła mama? = Co było przyczyną jego/jej śmierci?	*What did your father/mother die of? = What was the cause of his/her death?*
Ile lat mieli, kiedy zmarli? = W jakim wieku zmarli?	*How old were they when they died = At what age did they die?*
Czy ma pan/pani rodzeństwo?	*Do you have any siblings?*
Czy ma pan/pani dzieci?	*Do you have children?*
Czy dobrze się czuje/czują?	*Is (s)he well?/Are they well? Are they in good health?*
W jakim jest/są wieku?	*How old is (s)he/are they?*

Wywiad socjalno-bytowy	Social history (SH)
Polish	English
Czy jest pan żonaty? (Czy ma pan żonę?)	*Are you married? (Do you have a wife?)*
Czy jest pani zamężna? (Czy ma pani męża?)	*Are you married? (Do you have a husband?)*
Czy ma pan/pani dzieci?	*Do you have children?*
Gdzie pan/pani mieszka?	*Where do you live?*
Czy to jest pana/pani mieszkanie?	*Is it your (own) flat?*
Jak duże jest pana/pani mieszkanie?	*How big is your flat?*
Czy to mieszkanie jest ciepłe/zimne, suche/wilgotne, jasne/ciemne, ciche/głośne?	*Is this flat warm/cold, dry/damp, bright/dark, quiet/noisy?*
Jakie są warunki sanitarne?	*What are the sanitary conditions?*
Czy jest woda/toaleta/ogrzewanie/ /gaz?	*Is there water/a toilet/heating/gas?*
Czy mieszka pan/pani sam/a?	*Do you live alone?*
Czy mieszka pan/pani z rodziną?	*Do you live with your family?*
Z kim pan/pani mieszka?	*Who do you live with?*

• Czy ktoś się panem/panią opiekuje?	• *Does anyone take care of you?*
• Czym się pan/pani zajmuje?	• *What do you do for a living?*
• Jaki jest pana/pani zawód?	• *What's your job?*
• Co pan/pani robi w pracy?	• *What do you actually do at work?*
• Czy pan/pani pracuje w swoim zawodzie?	• *Do you work in your profession?*
• Czy to praca siedząca?	• *Is it a sedentary job?*
• Jakiego rodzaju jest to praca: biurowa czy fizyczna?	• *What type of work is it: office or manual?*
• Czy to jest praca biurowa?	• *Is it an office job?*
• Czy jest to praca stresująca?	• *Do you find your job stressful?*
• Jakie są warunki pracy?	• *What are the working conditions?*
• Czy ma pan/pani kontakt ze szkodliwymi substancjami?	• *Do you have contact with any harmful substances?*
• Czy ma pan/pani jakieś zwierzęta w domu?	• *Do you have any pets at home?*
• Co pan/pani robi w wolnym czasie? = Jak pan/pani spędza wolny czas?	• *What do you do in your spare time?* = *How do you spend your free time?*
• Czy prowadzi pan/pani życie towarzyskie?	• *How is your social life?*
• Czy woli pan/pani przebywać w domu?	• *Do you prefer to stay at home?*
• Czy pan/pani pije?	• *Do you drink?*
• Czy pan/pani pali?	• *Do you smoke?*
• Jak dużo?	• *How much?*
• Ile papierosów dziennie pan/pani pali?	• *How many cigarettes a day do you smoke?*
• Ile alkoholu/piw/drinków dziennie pan/pani pije?	• *How much alcohol/beer/how many drinks a day do you drink?*
• Czy pije pan/pani dużo mocnej herbaty/kawy?	• *Do you drink a lot of strong tea/coffee?*
• Czy przyjmuje pan/pani narkotyki/substancje prawnie niedozwolone?	• *Do you take any illegal substances?*

Ogólny wywiad pediatryczny	*General pediatric history*
Polish	English
• Ile lat ma syn/córka?	• *How old is your son/daughter?*
• Czy chodzi do żłobka/przedszkola/ /szkoły?	• *Does (s)he go to day care/kindergarden/school?*
• Czy dziecko urodziło się o czasie?	• *Was (s)he a full term baby?*
• Czy dziecko jest wcześniakiem?	• *Was (s)he born before term?*
• Czy dziecko urodziło się po terminie?	• *Was (s)he born after term?*
• Czy to była pani pierwsza ciąża?	• *Was it your first pregnancy?*
• Czy miała pani jakieś problemy w ciąży?	• *Did you have any problems during pregnancy?*

- Czy to był poród naturalny?
  = Czy to był poród siłami natury?
- Czy miała pani cesarskie cięcie?
- Dlaczego miała pani cesarskie cięcie?
- Ile punktów w skali Apgar
  otrzymał syn/otrzymała córka?
- Ile ważył/a przy urodzeniu?
- Ile mierzył/a przy urodzeniu?

- *Was it a natural delivery?*

- *Was it a caesarean section?*
- *Why did you have a caesarean section?*
- *How many Apgar points did your
  son/daughter have?*
- *How much did (s)he weigh when (s)he was born?*
- *How tall was (s)he when (s)he was born?*

Badanie – polecenia
Examination – instructions

Polecenia		Instructions
Polish		English
Proszę	wejść.	Come in, please.
Proszę	usiąść.	Sit down.
Proszę	usiąść prosto.	Sit down straight.
Proszę	wstać.	Stand up.
Proszę	podwinąć rękaw.	Roll your sleeve up.
Proszę	zdjąć buty/skarpetki.	Take off your shoes/socks.
Proszę	rozebrać się do pasa.	Undress from your waist up.
Proszę	rozebrać się do bielizny.	Undress to your underwear.
Proszę	ubrać się.	Get dressed.
Proszę	położyć się na kozetce.	Lie on the couch.
Proszę	położyć się na brzuchu.	Lie on your stomach.
Proszę	położyć się na plecach.	Lie on your back.
Proszę	położyć się na prawy/lewy bok.	Lie on your right/left side.
Proszę	obrócić się.	Turn over.
Proszę	rozluźnić się.	Relax.
Proszę	rozluźnić rękę/nogę/brzuch.	Relax your arm/leg/stomach.
Proszę	zgiąć rękę/nogę.	Bend your arm/leg.
Proszę	wyprostować rękę/nogę.	Straighten your arm/leg.
–	Ręce wzdłuż tułowia.	Hands by your side.
–	Nogi/stopy złączone.	Legs/feet together.
–	Nogi rozszerzone.	Legs apart.
–	Nogi w kolanach wyprostowane.	Keep your knees firm.
–	Nogi w kolanach zgięte.	Bend your knees.
Proszę	podnieść ręce.	Raise your arms.
Proszę	opuścić ręce.	Put your arms down.
–	Ramiona/ręce luźno.	Let your shoulders go loose.
Proszę	zrobić skłon.	Bend down.
Proszę	otworzyć (szeroko) oczy.	Open your eyes (wide).
Proszę	nie mrugać.	Don't blink.

Proszę	otworzyć (szeroko) usta.	*Open your mouth (wide).*
Proszę	powiedzieć „a".	*Say "ah".*
Proszę	pokazać język.	*Show me your tongue.*
Proszę	wystawić/wysunąć język.	*Stick your tongue out.*
Proszę	unieść język.	*Lift your tongue up.*
Proszę	opuścić język.	*Let your tongue down.*
Proszę	zamknąć usta.	*Close your mouth.*
Proszę	zamknąć oczy.	*Close your eyes.*
Proszę	oddychać przez nos.	*Breathe through your nose.*
Proszę	oddychać przez usta.	*Breathe through your mouth.*
Proszę	wziąć/wziąć (głęboki) wdech.	*Take a (deep) breath.*
Proszę	zrobić wydech.	*Breathe out.*
Proszę	wstrzymać oddech.	*Hold your breath.*
Proszę	zakasłać.	*Cough.*
Proszę	nie ruszać się.	*Don't move.*
Proszę	policzyć do 10.	*Count to 10.*
Proszę	spojrzeć na mój palec.	*Look at my finger.*
Proszę	śledzić wzrokiem mój palec.	*Follow my finger.*
Proszę	powiedzieć, co pan czuje.	*Tell me what you are feeling.*
Proszę	powiedzieć, czy słyszy mnie pan.	*Tell me if you can hear me.*
Proszę	powiedzieć, jaki to kolor.	*Tell me please, what color it is.*
Proszę	dotknąć palcem czubka nosa.	*Touch the tip of your nose with your finger.*
Proszę	zrobić przysiad.	*Bend your knees.*
Proszę	przejść prosto.	*Walk straight on.*
Proszę	stanąć na jednej nodze.	*Stand on one leg.*
Proszę	wyjść.	*You may leave now.*

Dane osobowe
Personal data

Dane osobowe	Personal data
Polish	English
L: Dzień dobry. Jest pani po raz pierwszy u nas, prawda? W celu założenia karty muszę najpierw zebrać pani dane.	D: Good morning. You are here for the first time, aren't you? To draw up your file, I have to collect your data first.
P: Proszę bardzo.	P: Welcome.
L: Proszę podać nazwisko.	D: What's your name?
P: Wolak-Krukowska.	P: Wolak-Krukowska.
L: Pani Wolak-Kruczkowska.	D: Mrs Wolak-Kruczkowska.
P: Nie. Kru-kow-ska.	P: No. Kru-kow-ska.
L: Rozumiem, przepraszam. Jak ma pani na imię?	D: I see, I'm sorry. And what is your first name?
P: Katarzyna.	P: Katarzyna.

L: Czy korzysta pani z drugiego imienia?	D: Do you use your middle name?
P: Tak. Na drugie imię mam Anna.	P: Yes. My middle name is Anna.
L: Kiedy się pani urodziła?	D: When were you born?
P: 31.12.1988.	P: 31.12.1988.
L: Proszę podać swój numer PESEL.	D: Give me your personal identification number.
P: 88123140788.	P: 8812310788.
L: Jest pani kobietą. Proszę podać adres zamieszkania?	D: That's female. And where do you live?
P: Łódź. Al. Kościuszki 2.	P: In Lodz. 2 Kościuszki Av.
L: Pamięta pani swój kod pocztowy?	D: Do you remember your ZIP code?
P: 90–419.	P: 90–419.
L: Czy jest pani mężatką?	D: Are you married?
P: Nie. Nie mam męża.	P: No. I don't have a husband.
L: Przepraszam, jest pani rozwódką?	D: Excuse me, are you divorced?
P: Nie, panną.	P: No, I'm single.
L: Jaki jest pani zawód?	D: What is your profession?
P: Jestem architektem, ale nie pracuję w zawodzie.	P: I'm an architect, but I don't work in my profession.
L: A co pani robi?	D: What do you do for a living?
P: Prowadzę własną działalność – mam restaurację.	P: I run a business, a restaurant.
L: Świetnie. Proszę podać numer telefonu.	D: Great. What is your telephone number?
P: 606 161 916.	P: 606 161 916.
L: Dziękuję, to już wszystko.	D: Thank you, that's it.

Wywiad internistyczny
History taking in internal medicine

Wywiad 1	Examination 1
Polish	English
L: Jak się pan czuje? Lepiej?	D: How are you doing? Any better?
P: Tak sobie, pani doktor.	P: So-so, doctor.
L: Chciałabym pana teraz zbadać. Proszę usiąść na kozetce.	D: I'd like to examine you now. Sit down on the couch, please.
P: Tam?	P: Over there?
L: Tak, ale najpierw proszę się rozebrać.	D: Yes. But undress first.
P: Do pasa?	P: From the waist up?
L: Tak, oczywiście. Dziękuję.	D: Yes, sure. Thank you.
Teraz zbadam pana migdałki. A teraz gardło.	I'll examine your tonsils now. And your throat.
Proszę szeroko otworzyć usta i powiedzieć „a". Świetnie.	Open your mouth wide and say "ah". Great.

Teraz proszę pokazać język. Jeszcze trochę. Właśnie tak.	Show me your tongue. A little bit more. That's it.
P: Czy wszystko dobrze?	P: Is everything OK?
L: Nie, gardło jest czerwone.	D: Not really, the throat is red.
A teraz osłucham pana. Najpierw z przodu.	I will auscultate you. Front first.
Proszę głęboko oddychać. Przez nos. Dwa wdechy, dwa wydechy.	Breathe deeply. Through your nose. Two breaths in, two breaths out.
Teraz plecy. To samo.	Your back now. The same.
Teraz... Proszę wstrzymać oddech... Tak, dziękuję.	Now... hold your breath... Yes, thank you.
Proszę zakasłać. Jeszcze raz. Tak, to mokry kaszel.	Start coughing, please. Once again. Yes, it is a wet cough.
Czy dużo pan kaszle?	Are you coughing a lot?
P: Tak. Nie mogę się uczyć. Cały dzień męczy mnie ten kaszel.	P: Yes. I can't study. I'm coughing all day long.
L: Hmm... Rozumiem. To wszystko. Może się pan ubrać.	D: Hmm... I see. That's it. You can get dressed.

Wywiad 2	Examination 2
Polish	English
L: Dzień dobry. Jestem dr Nowak.	D: Good morning. I'm Dr Nowak.
P: Dzień dobry, panie doktorze.	P: Good morning, doctor.
L: Jak się pan dzisiaj czuje? Czy już dobrze?	D: How are you feeling today? Are you better now?
P: Nie czuję się dobrze. Boli mnie głowa. I gardło. Mam chrypkę i kaszel.	P: I'm not feeling well. I have a headache. And a sore throat. My voice is hoarse and I cough.
L: Czy to jest mokry kaszel?	D: Is it a wet cough?
P: Nie rozumiem.	P: I don't understand.
L: Czy odksztusza pan coś?	D: Do you bring up anything?
P: Nie, nic. To męczący kaszel.	P: No, nothing. It's a persistent cough.
L: Czy gdzieś pana boli podczas kaszlu?	D: Do you feel any pain on coughing?
P: Oj, tak. Mam ostry ból w klatce. Bolą mnie plecy.	P: Oh, yes. I have a sharp pain in my chest. I have a pain in my back.
L: Kiedy to się wszystko zaczęło?	D: When did it all start?
P: Osiem dni temu. I jest coraz gorzej. Teraz mam kłopoty z oddychaniem.	P: Eight days ago. And it is getting worse. I have problems with breathing now.
L: Czy coś jeszcze panu dolega?	D: Is anything else bothering you?
P: Jestem słaby. Bolą mnie wszystkie mięśnie.	P: I'm weak. All my muscles are sore.
L: Czy ma pan gorączkę?	D: Do you have a fever?
P: Rano niewielką, ale wieczorem powyżej 38°C.	P: Not much in the morning, but above 38°C in the evening.

L: Rozumiem, a teraz?	*D: I see, and now?*
P: Nie wiem.	*P: I don't know.*
L: Proszę zmierzyć gorączkę. Za chwilę wrócę. Siostro, proszę o pomiar temperatury.	*D: Take your temperature. I'll be back in a moment. Nurse, take the temperature please.*

Wywiad 3	**Examination 3**
Polish	English
L: Jak się pan teraz czuje?	*D: How are you feeling now?*
P: Nie za dobrze, panie doktorze.	*P: Not too well, I'm afraid.*
L: Chciałbym pana teraz zbadać. Proszę usiąść na tym stołku.	*D: I'd like to examine you. Sit down on this stool, please.*
P: Tutaj?	*P: Right here?*
L: Tak. Siostro, proszę pomóc pacjentowi rozebrać się.	*D: Yes. Sister, help the patient undress.*
P: Do pasa?	*P: To the waist?*
L: Tak, oczywiście. Dziękuję.	*D: Yes, sure. Thank you.*
L: Najpierw zbadam pana gardło. Proszę otworzyć usta. Szeroko. Proszę powiedzieć „a". Jeszcze raz. Proszę wyciągnąć język. Tak daleko jak pan może. Tak... dziękuję.	*D: First, I'll have a look at your throat. Open your mouth. Wide. Say "ah". Once again. Put your tongue out. As far as you can. That's it. Thank you.*
P: Czy wszystko w porządku?	*P: Is everything all right?*
L: Tak, gardło jest ładne. Narzeka pan na kaszel. Jaki to kaszel: suchy czy mokry?	*D: Yes, your throat looks nice. You are complaining of a cough. What cough is it, dry or wet?*
P: Hmm...	*P: Hmm...*
L: Dobrze, to proszę zakasłać. Jeszcze raz. To suchy kaszel. Nic pan nie odksztusza?	*D: I see, start coughing right now. Once again. It is a dry cough. You don't bring up anything, do you?*
P: Nie, ale ten kaszel mnie bardzo męczy. Często kaszlę.	*P: No, but this cough is tiring me out. I cough a lot.*
L: Kiedy pan najwięcej kaszle?	*D: When do you cough most?*
P: W nocy. Nie mogę spać. Wciąż się budzę.	*P: At night. I can't sleep. I keep waking up.*
L: Rozumiem. A teraz proszę usiąść prosto. Osłucham pana. Najpierw z tyłu. Proszę głęboko oddychać. Przez nos. Wdech. Wydech. Wdech. Wydech. Teraz z przodu. Wdech. Wydech. Wdech. Wydech. A teraz... Proszę wstrzymać oddech. Tak, dziękuję. To wszystko. Może pan się ubrać. Siostro, proszę o pomoc.	*D: I see. Sit straight right now. I'll auscultate you. Your back first. Breathe deeply. Through your nose. Breathe in. Breathe out. In. Out. Your front now. In. Out. In. Out. And now... hold your breath. Yes, thank you. That's all. You can get dressed. Sister, your help, please.*

Wywiad dermatologiczny
History taking in dermatology

Znamię	Mole
Polish	English
L: Dzień dobry. Jestem dr Nowakowski. W czym mogę pomóc?	D: Hello, I'm Dr Nowakowski. What can I do for you?
P: Dzień dobry, panie doktorze. Zaniepokoił mnie wygląd pieprzyka na stopie.	P: Good morning, doctor. I've become anxious about a mole on my foot.
L: Czy to nowe znamię?	D: Is it a new mole?
P: Nie, jak pan widzi, mam dużo znamion i wciąż pojawiają się nowe. Ale to na prawej stopie ostatnio zmieniło się.	P: No, as you can see I have a lot of moles and new ones are appearing. But this one on the right foot has recently changed.
L: Kiedy dokładnie?	D: When precisely?
P: W ostatnich tygodniach. Miałam dwumiesięczne wakacje, dużo podróżowałam po ciepłych krajach.	P: In the last few weeks. I had a two-month-long vacation, I was travelling extensively in warm, sunny areas.
L: Dużo się pani opalała?	D: Were you sunbathing a lot?
P: Wcale się nie opalałam i używałam kremów z filtrem. Uważałam, ale zawsze chodziłam w sandałach.	P: Not at all. And I used high factor sun blockers. I was being cautious. But I always wore sandals.
L: Jak się zmieniło to znamię?	D: How has this mole changed?
P: Przede wszystkim powiększyło się i ma teraz nieregularne brzegi.	P: First of all it has become bigger and started having irregular edges.
L: Czy swędzi?	D: Is it itchy?
P: Tak. Najgorsze, że jest różnokolorowe.	P: It is. The worst thing – it is multicolored.
L: Czy krwawi?	D: Is it bleeding?
P: Nie.	P: No.
L: Powinienem je obejrzeć. Proszę pokazać stopę.	D: I should have a look at it. Show me your foot, please.
P: Hmm... Myślę, że powinna pani iść na konsultację do dermatologa. Dam pani skierowanie. Tylko proszę tego nie odkładać.	D: Hmm... I think that you should consult with a dermatologist. I'll write you a letter of referral. Don't put it off.

Wywiad ortopedyczny
History taking in orthopedics

Zwichnięcie	Sprain
Polish	English
L: Gdzie jest uraz?	D: Where is this unjury?
P: Tutaj, w kostce.	P: Right here, in my ankle.

L: Jak to się stało?

D: *How did it happen?*

P: Potknęłam się na chodniku i skręciłam nogę. Spuchła mi i bardzo boli.

P: *I tripped over on the pavement and twisted it. It's swollen and very painful.*

L: Kiedy to się stało?

D: *When did it happen?*

P: Wczoraj wieczorem.

P: *Yesterday evening.*

L: Proszę zrobić prześwietlenie i wrócić do mnie z wynikiem.

D: *Have an X-ray and come back to me with the result.*

(trochę później)

(a little bit later)

L: Nie ma złamań. To jest tylko zwichnięcie. Pielęgniarka zabandażuje pani nogę. Proszę nie przemęczać nogi, nie chodzić za dużo, nie ćwiczyć. Za kilka dni opuchlizna zejdzie. Jeśli nie, proszę przyjść ponownie.

D: *There are no fractures. It is only a sprain. A nurse will put a bandage on it. Don't overstrain your leg, don't walk too much, don't exercise. In a couple of days the swelling will disappear. If not, come and see me again.*

Złamanie szyjki kości udowej	Neck of the femur fracture
Polish	English

L: Dzień dobry. Jestem dr Kotowski. Co się stało?

D: *Good morning. I'm Dr Kotowski. What happened?*

P: Miałam wypadek dziś w południe. Sprzątałam na Boże Narodzenie. Myłam okna, stojąc na kuchennym stołku. Nagle straciłam równowagę i upadłam na podłogę.

P: *I had an accident at midday. I was doing some cleaning for Christmas. I was cleaning windows, standing on a kitchen stool. Suddenly, I lost balance and fell to the floor.*

L: Czy straciła pani przytomność?

D: *Did you lose consciousness?*

P: Nie. Tylko leżałam na dywanie przez dłuższą chwilę, nie mogłam się ruszyć.

P: *No. But I was lying on the carpet for a long while, I wasn't able to move.*

L: I co dalej?

D: *And what next?*

P: Udało mi się sięgnąć po telefon, miałam go w kieszeni. Zadzwoniłam do sąsiadki.

P: *I managed to reach my mobile, I had it in my pocket. I called my neighbor.*

L: Czy to sąsiadka zadzwoniła po pogotowie?

D: *Was it your neighbor who called for an ambulance?*

P: Tak, przyjechała tu ze mną.

P: *Yes, and she came here with me.*

L: Co panią boli?

D: *What causes the pain?*

P: Strasznie mnie boli prawa noga. Na górze, w pachwinie.

P: *I have a horrible pain in my right leg. Up the leg, in the groin.*

L: Czy boli panią biodro?

D: *Do you have pain in your hip?*

P: Bardzo!

P: *Terrible!*

L: Czy jest pani w stanie wstać?

D: *Are you able to stand up?*

P: Absolutnie nie.

P: *Absolutely not.*

L: Czy jeszcze gdzieś panią boli?

D: *Do you have pain anywhere else?*

P: Nie, nigdzie.

P: *No, nowhere.*

L: Czy miała pani kiedykolwiek podobny wypadek?

D: *Have you ever had a similar accident?*

P: Nie, nigdy.

P: *No, never.*

L: Czy choruje pani na osteoporozę?

D: *Do you have osteoporosis?*

P: Jeszcze nie.

P: *Not yet.*

L: Świetnie. Zabierzemy teraz panią na prześwietlenie.

D: *Great. We'll take you for an X-ray now.*

Wywiad reumatologiczny
History taking in rheumatology

Reumatoidalne zapalenie stawów	*Rheumatoid arthritis*
Polish	English
L: Dzień dobry. W czym mogę pani pomóc?	D: *Good morning. How can I help you, Madam?*
P: Dzień dobry, pani doktor. Mam problemy z rękami.	P: *Good morning, doctor. I have problems with my hands.*
L: Jakie problemy?	D: *What kind of problems?*
P: Bardzo bolą mnie dłonie. Szczególnie palce w stawach. I to obydwie dłonie.	P: *I have a strong pain in my palms. Especially in finger joints. Both palms are affected.*
L: Czy to ból jednostajny, ciągły?	D: *Is it a constant pain?*
P: Tak, wciąż mnie boli. Od miesiąca.	P: *Yes, I've been having these pains for a month.*
L: Czy coś potęguje ból?	D: *Does anything make the pain worse?*
P: Chyba nie. Najsilniejszy jest jednak rano. Mam problemy z ubraniem się, nie mogę zapiąć stanika. Nie jestem w stanie ukroić sobie kromki chleba. Coś strasznego.	P: *I don't think so. But it is at its strongest in the morning. I have problems getting dressed, I can't fasten my bra. I'm not able to slice a piece of bread. Something horrible!*
L: Faktycznie. Czy mieszka pani teraz sama?	D: *Yes, it is. Do you live alone?*
P: Moja młodsza siostra wprowadziła się do mnie.	P: *My younger sister has just moved in.*
L: To świetnie. Czy jest jeszcze coś, oprócz bólu, co pani zauważyła?	D: *Great. Have you noticed anything else, apart from the pain?*
P: Tak. Te stawy są spuchnięte.	P: *Yes, I have. Those joints are swollen.*
L: Zaraz panią zbadam. Proszę jeszcze powiedzieć, jak pani sobie radzi w pracy.	D: *I'm going to examine you in a moment. Tell me one more thing: how are you managing at work?*
P: Niezbyt dobrze. Jestem bibliotekarką. Ostatnio upuściłam cenną książkę. Miałam problemy w pracy.	P: *Not very well. I'm a librarian. I've dropped a really valuable book. I had problems at work.*
L: Przykro mi to słyszeć. Spróbuję pani pomóc. Proszę pokazać ręce.	D: *I'm sorry to hear this. I'll try to help you. Show me your hands, please.*

Wywiad pulmonologiczny
History taking in pulmonology

Astma	*Asthma*
Polish	English
L: Dzień dobry, pani Mario. Co się dzieje z Martą?	D: Good morning, Maria. What's happening with Marta?
P: Słyszy pan, panie doktorze, jak ona oddycha?	P: Can you hear, doctor, how she is breathing?
L: Nie za dobrze. Od kiedy ma taki świszczący oddech?	D: Not too well. How long has she been wheezing like this?
P: Od wczorajszego wieczora. W nocy było coraz gorzej. Była sina i dusiła się.	P: Since last night. It was getting worse and worse at night. She turned blue and gasped for air.
L: Czy jeszcze coś się działo?	D: Was anything else happening?
P: Marta narzekała na ucisk w klatce.	P: Marta complained of tightness in her chest.
L: Marta ma teraz osiem lat. Nigdy nie chorowała na astmę, prawda?	D: Marta is eight now. She has never suffered from asthma, has she?
P: Nie, nigdy.	P: No, never.
L: Czyli to pierwszy taki atak?	D: So it is the first attack of this kind, yes?
P: Tak, ale jej starszy brat Piotr choruje na astmę, dlatego wiem, co robić. Dałam jej leki Piotra.	P: Yes, but her older brother, Piotr, has asthma, so I know what to do. I gave her Piotr's drugs.
L: Co to było?	D: What was it?
P: Zapisałam sobie, zaraz znajdę karteczkę.	P: I wrote it down, let me find this note.
L: Dobrze. Proszę mi powiedzieć, czy Marta przechodziła ostatnio infekcję dróg oddechowych?	D: Fine. Tell me, has Marta a had chest infection recently?
P: Lekkie przeziębienie, ale długo się ciągnęło.	P: A mild cold, but for a long time.
L: Czy jest na coś uczulona?	D: Is she allergic to anything?
P: Tak. Dosłownie na wszystko. Na jedzenie też.	P: Yes. Literally to everything. Including food.
L: Czego nie może jeść?	D: What is it that she can't eat?
P: Na przykład truskawek, orzechów, czekolady...	P: For example strawberries, nuts, chocolate...
L: I nic takiego nie jadła?	D: And she had nothing of that.
P: Nie, na pewno nie.	P: No, certainly not.
L: Dobrze. Marto, teraz osłuchamy twoje płuca.	D: OK. Marta, we'll listen to your chest now.

Gruźlica	Tuberculosis
Polish	English
L: Od jak dawna ma pan ten kaszel?	D: How long have you had this cough?
P: Od zawsze. Mam go od lat.	P: Oh, always. I've had it for years.
L: Czy pali pan?	D: Do you smoke?
P: Dużo paliłem, ale kilka miesięcy temu rzuciłem palenie.	P: I used to smoke a lot, but I gave up a couple of months ago.
L: Ile papierosów dziennie pan palił?	D: How many cigarettes did you smoke daily?
P: Około dwóch paczek.	P: About two packets.
L: Czy coś pan odkrztusza?	D: Do you cough up anything?
P: Tak.	P: Yes.
L: Jakiego koloru jest plwocina?	D: What color is the sputum?
P: Żółta.	P: Yellow.
L: Czy zauważył pan kiedykolwiek krew w tej flegmie?	D: Have you ever noticed any blood in your phlegm?
P: Tak, ostatnio.	P: Yes, recently.
L: Czy ma pan trudności z oddychaniem?	D: And do you have any problems breathing?
P: Tak. Kiedy jest gorąco, brakuje mi powietrza.	P: Yes. I get short of breath when it's hot.
L: Czy dobrze pan śpi/sypia?	D: Do you sleep well?
P: Oj, nie. Często mam gorączkę i dreszcze. Budzę się zlany potem.	P: Oh, no. I often have fever and chills. I wake up all wet.
L: Czy jeszcze coś pan zauważył?	D: Have you noticed anything else?
P: Nie, chyba nie.	P: No, not really.
L: A czy nie schudł pan trochę ostatnio?	D: Haven't you lost any weight recently?
P: Tak, trochę.	P: Yes, some.
L: Jak dużo?	D: How much?
P: Około trzech, czterech kilogramów. Nie mam apetytu.	P: About three to four kilos. I've lost my appetite.

Wywiad kardiologiczny
History taking in cardiology

Ból w klatce piersiowej	Thoracic pain
Polish	English
L: Dzień dobry. Co pana dzisiaj do mnie sprowadza, panie Nowak?	D: Good morning. What brings you here today, Mr Nowak?
P: Dzień dobry, panie doktorze. Mam straszne bole w klatce piersiowej.	P: Good morning, doctor. I have horrible pain in my chest.
L: Jaki to ból? Proszę opisać.	D: What kind of pain is it? Describe it.
P: Silny, miażdżący, promieniujący...	P: Strong, crushing, radiating...
L: Gdzie promieniuje?	D: Where does it radiate?
P: Do lewej łopatki i dalej do lewego łokcia.	P: To the left shoulder and further to the left elbow.

L: Kiedy to się zaczęło?	D: *When did it start?*
P: Około pół godziny temu.	P: *About half an hour ago.*
L: Co pan wtedy robił?	D: *What were you doing then?*
P: Oglądałem mecz, są mistrzostwa Europy. Kiedy się źle poczułem, mój syn od razu mnie tutaj przywiózł.	P: *I was watching a football match, the Euros are on. When I felt bad, my son brought me here immediately.*
L: Czy ten ból zaczął się nagle?	D: *Did this pain start suddenly?*
P: Nie, stopniowo. Nasilał się przez dobrych kilka minut.	P: *No, gradually. For a good couple of minutes.*
L: Czy oprócz tego bólu zauważył pan jeszcze coś?	D: *Apart from this pain, have you noticed anything else?*
P: Tak, dużo rzeczy. Zacząłem się pocić. Było mi duszno, niedobrze, chciało mi się wymiotować. Serce mi kołatało.	P: *Yes, lots of things. I started sweating. It felt breathless, nauseous, I wanted to vomit. I had palpitations.*
L: Czy wcześniej kiedykolwiek miał pan takie problemy z sercem?	D: *Have you had such problems with your heart earlier?*
P: Tak, brałem wtedy nitroglicerynę, ale to nigdy nie był taki silny ból.	P: *Yes, I was on nitroglycerine then, but it was never such a strong pain.*
L: Czy któryś z tych objawów zauważył pan wcześniej?	D: *Did you notice any of those symptoms earlier?*
P: Duszno mi od dawna, od miesiąca. I spać nie mogę.	P: *I've been feeling breathless for a while, for a month. And I can't sleep.*
L: Czy chorował pan ostatnio?	D: *Have you been sick recently?*
P: Nie. Ja nigdy nie choruję.	P: *No, I'm never sick.*
L: Czy miał pan kiedykolwiek operację?	D: *Have you ever had surgery?*
P: Nie, nigdy.	P: *No, never.*
L: Dobrze. Zaraz pana zbadam.	D: *OK. I'll examine you right now.*

Wywiad rodzinny	*Family history*
Polish	English
L: Czy pana rodzice żyją?	D: *Are your parents alive?*
P: Tylko mama żyje. Ojciec zmarł cztery lata temu.	P: *Only my mother is alive. My father died four years ago.*
L: Ile lat ma pana mama?	D: *How old is your mother?*
P: Siedemdziesiąt pięć.	P: *Seventy five.*
L: Czy ma kłopoty z sercem?	D: *Does she have heart problems?*
P: Kilka lat temu miała poważne kłopoty, wszczepiono jej rozrusznik. Teraz jest znacznie lepiej.	P: *She had serious problems a couple of years ago, she had a pacemaker inserted. It's much better now.*
L: A na co zmarł pana ojciec?	D: *What did your father die of?*
P: Miał zawał.	P: *He had a heart attack.*
L: Czy ma pan rodzeństwo?	D: *Do you have siblings?*
P: Tak, mam siostrę, miałem również brata.	P: *Yes, I have a sister, I also had a brother.*
L: W jakim wieku jest pana siostra?	D: *What age is your sister?*

P: Teraz ma 48 lat. Brat był najstarszy, zmarł w wieku 59 lat.

P: She is 48 now. My brother was the oldest, he died when he was 59.

L: Co było przyczyną jego śmierci?

D: What was the reason of his death?

P: Tak jak u naszego ojca – zawał.

P: Just like our dad – heart attack.

L: Więc zarówno u pana taty, jak i brata przyczyną śmierci był zawał. Czy ktoś jeszcze z pana rodziny miał lub ma kłopoty sercowe?

D: So both your father and brother died of a heart attack. Has anyone else from your family had heart problems?

P: O ile wiem, to nie.

P: Not that I know of.

L: Czy ma pan dzieci?

D: Do you have children?

P: Tak, dwoje. Dwudziestoletniego syna i ośmioletnią córkę.

P: Yes, two. A 20-year-old son and an 8-year-old daughter.

L: Oboje są zdrowi, tak?

D: And they are well, aren't they?

P: Tak. Tylko... syn ma lekkie nadciśnienie.

P: Yes. Only... my son has slight hypertension.

L: Czy bierze coś na nie?

D: Does he take anything for it?

P: Tak, jakieś tabletki.

P: Yes, some kind of tablets.

Wywiad gastrologiczny
History taking in gastrology

Wrzody trawienne	Peptic ulcers
Polish	English
L: Dzień dobry, co pana dzisiaj do mnie sprowadza?	D: Good morning. What brings you here today?
P: Dzień dobry, panie doktorze. Mam bóle brzucha, które trwają już od dwóch tygodni.	P: Good morning, doctor. I have pain in my abdomen that has lasted for over two weeks now.
L: Jakiego rodzaju jest ten ból?	D: What kind of pain is it?
P: Tępy, piekący, gryzący.	P: Dull, burning, gnawing pain.
L: Jak często występuje?	D: How often does it appear?
P: Około pięciu razy w tygodniu.	P: Almost five times a week.
L: Prawie codziennie. Rozumiem. Kiedy pana boli: przed posiłkiem czy po nim?	D: Almost every day. I see. When do you have this pain: before or after a meal?
P: Dwie do trzech godzin po jedzeniu.	P: Two to three hours after eating.
L: Jak długo trwa?	D: How long does it last?
P: Godzinę, czasem dwie.	P: An hour, sometimes two.
L: Czy coś łagodzi ten ból?	D: Does anything relieve this pain?
P: Czasem piję szklankę zimnego mleka. Wydaje się, że to pomaga.	P: I like to drink a glass of cold milk then. It seems to help.
L: A czy coś zaostrza ból?	D: Does anything make the pain worse?
P: Stres, zmartwienie...	P: Stress, worry...

3. Wizyta u lekarza/*Visit to a doctor*

99

L: Często ma pan te problemy?	D: *Do you often have these problems?*
P: Tak, ostatnio mam trudności w pracy. Jest nowe kierownictwo. To po prostu koszmar.	P: *Yes, I've been having problems at work recently. We have new management. Pure nightmare.*
L: Hmm... współczuję. Od kiedy ma pan te bóle?	D: *Hmm... my sympathy. Since when have you had these pains?*
P: Od ostatniego Bożego Narodzenia.	P: *Since last Christmas.*
L: Gdzie dokładnie jest ten ból umiejscowiony?	D: *Where exactly is this pain located?*
P: Tutaj, w górze brzucha.	P: *Right here, in the upper abdomen.*
L: Czy towarzyszą temu jeszcze jakieś objawy?	D: *Is it accompanied by any other symptoms?*
P: Niech pomyślę... Tak. Zmienił mi się rytm wypróżnień. Naprzemiennie mam biegunki i zaparcia.	P: *Let me think... Yes. My bowel habits have altered. I have diarrhea and constipation interchangeably.*
L: Jeszcze coś?	D: *Anything else?*
P: Często mam czkawkę, kwaśne odbijanie. I zgagę.	P: *I often have hiccups, sour belching. And heartburn.*
L: To wszystko?	D: *Is that all?*
P: Chyba tak.	P: *I think so.*
L: Czy ma pan dobry apetyt?	D: *How is your appetite?*
P: Nie za dobry.	P: *Not too good.*
L: Czy schudł pan ostatnio?	D: *Have you lost any weight lately?*
P: Tak.	P: *Yes.*
L: Ile kilogramów?	D: *How many kilograms have you lost?*
P: Około pięciu, sześciu.	P: *About five to six.*
L: Wymiotuje pan?	D: *You don't vomit, do you?*
P: Czasami się zdarza.	P: *Well, it happens sometimes.*
L: Czy pan pali?	D: *Do you smoke?*
P: Trochę.	P: *A little bit.*
L: Co to znaczy? Ile pan pali?	D: *What does it mean? How much do you smoke?*
P: Około 20–30 papierosów dziennie.	P: *About 20–30 a day.*
L: A co z piciem?	D: *What about drinking?*
P: Wie pan, panie doktorze. Pracuję w kostnicy. Nie można się nie napić.	P: *You know, doctor. I work in a mortuary. You must have a drink there.*
L: Dużo pan pije?	D: *Do you drink a lot?*
P: Nie, ćwiarteczkę.	P: *No, a quarter (of a liter).*
L: Wódeczki?	D: *Vodka?*
P: Tak.	P: *Yes.*
L: Dobrze, teraz pana zbadam. Jutro rano przeprowadzimy u pana gastroskopię. Jeszcze porozmawiamy o tym badaniu.	D: *Well, I'm going to examine you now. Tomorrow morning you will have a gastroscopy made. We will talk about this examination later on.*

Wywiad urologiczny
History taking in urology

Problemy z oddawaniem moczu	*Pain on urination*
Polish	English
L: Czy ma pan jakieś problemy z oddawaniem moczu?	*D: Are you having any problems urinating?*
P: Tak... Znacznie częściej chodzę do toalety niż kiedyś.	*P: Yes... I go to the toilet more often than I used to.*
L: Częściej? Jak często?	*D: More often? How often?*
P: Prawie co godzinę. No, może co dwie.	*P: Almost every hour. Well, maybe once every two hours.*
L: A w nocy? Czy wstaje pan w nocy?	*D: What about nights? Do you get up at night?*
P: Oj tak. Każdej nocy. Dwa, trzy razy.	*P: Oh, yes. Every night. Two or three times.*
L: Czy przy oddawaniu moczu czuje pan ból?	*D: Do you feel any pain while passing water?*
P: Nie, raczej nie. Może czasami trochę piecze.	*P: No, not really. Maybe it burns a little bit.*
L: Czy ma pan problemy z rozpoczęciem oddawania moczu?	*D: Do you have any problems to start urinating?*
P: Nie.	*P: No.*
L: Czy to jest normalny, mocny strumień?	*D: Is it a normal, strong stream?*
P: Nie, nie taki jak kiedyś.	*P: No, it's not as good as it used to be.*
L: Czy pan zawsze kontroluje pęcherz? Czy nie popuszcza pan trochę moczu?	*D: Do you always have control over your bladder? No leaking? No dribbling?*
P: Może troszkę.	*P: Maybe a little bit.*
L: A kiedy to się dzieje?	*D: When does it happen?*
P: Nie pamiętam dokładnie.	*P: I don't remember well.*
L: Proszę postarać się sobie przypomnieć.	*D: Try to recall it.*
P: Kiedy kicham, kaszlę...	*P: When I sneeze, cough...*
L: Rozumiem. Czy zauważył pan kiedyś krew w moczu?	*D: I see. Have you ever noticed blood in the urine?*
P: Nie, nigdy.	*P: No, never.*

Wywiad neurologiczny
History taking in neurology

Powikłania pogrypowe (GLB)	*Flu complications (GLB)*
Polish	English
L: Dzień dobry. Pani Beata Paluch, tak?	*D: Good morning. Mrs Beata Paluch, right?*
P: Tak.	*P: Yes.*

L: Jestem dr Buczkowski. Dr Miazga przedstawiła mi już problem, ale proszę mi jeszcze opisać swoje dolegliwości.

D: *I'm Dr Buczkowski. Dr Miazga has already presented the problem to me, but describe your complaints once again, please.*

P: Czuję silny ból w rękach i znaczne osłabienie siły wszystkich kończyn.

P: *I'm feeling a strong pain in my hands and a marked weakness in all limbs.*

L: Kiedy to się zaczęło?

D: *When did it start?*

P: Około 10 dni temu. Na samym początku bolał mnie tylko kark. Drętwiały mi również ręce.

P: *About 10 days ago. At the very beginning I had pain in my neck only. And my hands were getting numb.*

L: Czy była pani u lekarza w związku z tymi dolegliwościami?

D: *Did you visit your doctor for those complaints?*

P: Tak, byłam. Dostałam skierowanie na prześwietlenie odcinka szyjnego kręgosłupa i receptę na leki przeciwbólowe.

P: *Yes, I did. He ordered an X-ray of the cervical part of the vertebral column and I got painkillers.*

L: Czy ma pani to prześwietlenie ze sobą?

D: *Do you have this X-ray with you?*

P: Tak, opisano tam zmiany zwyrodnieniowe.

P: *Yes, I do. Degenerative changes were noted.*

L: Chciałbym obejrzeć wyniki tych badań. Czy stosowane leki pomogły?

D: *I'd like to see those results. Did the prescribed medication help?*

P: Nie bardzo. Może trochę. Ale od wczorajszego wieczora czuję słabość w nogach, z trudem mogłam się poruszać po mieszkaniu.

P: *Not really. Maybe a little bit. But since yesterday evening, I've had this weakness in my legs. I can hardly move around, even at home.*

L: Czy nie odczuwa pani duszności?

D: *Do you have any dyspnoea?*

P: Duszno mi nie jest, ale serce szybciej mi bije.

P: *I'm not short of breath, but my heart beats faster.*

L: Czy w ciągu ostatniego czasu nie przechodziła pani ostrej infekcji, grypy?

D: *Haven't you had any acute infection or flu recently?*

P: Tak, dwa miesiące temu miałam ciężką grypę z wysoką temperaturą. Podejrzewano nawet powikłanie w postaci zapalenia płuc.

P: *Yes, I had a horrible flu with high fever two months ago. Even pneumonia was suspected as a complication.*

L: Podejrzewam u pani zespół GLB. Potwierdzenie uzyskamy po badaniach.

D: *Well, I suspect the GLB syndrome. Tests will confirm this diagnosis.*

P: GLB? Co to takiego?

P: *GLB? What's that?*

L: Powikłanie pogrypowe, jest to zapalenie układu nerwowego. Musimy jednak przeprowadzić dodatkowe badania, aby potwierdzić to rozpoznanie.

D: *It's a flu complication, inflammation of the nervous system. But we have to perform additional tests to confirm this diagnosis.*

P: Jakie badania? Czy są obciążające?

P: *What tests? Are they invasive?*

L: To będą dwa badania: trzeba zrobić nakłucie lędźwiowe, aby zbadać płyn mózgowo-rdzeniowy. Przeprowadzimy też elektroneurografię (ENG). Te badania mogą być trochę bolesne, ale są w pełni bezpieczne. I konieczne. Aby wykonać te procedury, muszę uzyskać pani zgodę.

D: *We are going to do two tests: it is necessary to do a lumbar puncture to examine the cerebrospinal fluid. We will perform electroneurography (ENG) as well. Those tests may be a little painful, but they are really safe. And necessary. But in order to perform them, I must obtain your consent.*

P: Czy muszę się im poddać?

P: *Is it necessary to do them now?*

L: Tak, jak najszybciej. W przypadku potwierdzenia podejrzenia niezbędne będzie wykonanie cyklu 5–10 plazmaferez.

D: *Yes, the sooner the better. If the initial diagnosis is confirmed, it will be necessary to put you on a course of 5–10 plasmapharesis.*

P: Co to takiego, panie doktorze? Czy to leczenie będzie bolesne? Długotrwałe?

P: *What's that, doctor? Is it a painful treatment? Long lasting?*

L: Zabieg wykonuje się raz dziennie, a jedyny ból wiąże się z nakłuciem żyły. Będzie pani miała założone wkłucie dożylne.

D: *The procedure is performed once daily, the only pain associated with it is the insertion of the needle into the vein. You will have an intravenous catheter applied.*

P: Czy o tym trzeba decydować teraz? Czuję się przytłoczona tymi informacjami.

P: *Do we have to decide about it right now? I'm feeling overwhelmed by this information.*

L: Rozumiem, ale w tej sytuacji czas jest kluczowy. W przypadku potwierdzenia podejrzeń rokowanie jest niepewne. Opóźnienie może tylko pogorszyć sytuację.

D: *I understand, but time is of the essence. If the primary diagnosis is confirmed, the prognosis is uncertain. Delay may only aggravate the situation.*

P: Czyli to poważna sprawa?

P: *So, it is a serious issue.*

L: Obawiam się, że tak. Raczej poważna. Rozumiem, że może pani chcieć porozmawiać z mężem. Proszę zadzwonić do niego, jeśli pani sobie życzy. Przyjdę do pani za pół godziny. Jeśli będzie miała pani dodatkowe pytania, to chętnie na nie odpowiem.

D: *I'm afraid so. It's pretty serious. I understand that you may want to talk to your husband. Call him if you wish. I'll be back in half an hour. If you have any additional questions, I'll be happy to answer them.*

Rwa kulszowa	*Sciatica*
Polish	English
L: W którym miejscu odczuwa pan ból?	D: *In which place do you feel the pain?*
P: W dolnej części pleców.	P: *In the lower part of the back.*
L: Czy ból gdzieś promieniuje?	D: *Does this pain radiate anywhere?*
P: Tak. Wzdłuż prawej nogi aż do dużego palca.	P: *Yes. Along my right leg down to the big toe.*
L: Od jak dawna pana boli?	D: *How long has it lasted?*
P: Od tygodnia.	P: *For a week.*
L: Co spowodowało wystąpienie bólu?	D: *What triggered it?*
P: Pojawił się po dźwignięciu stołu.	P: *It appeared when I lifted a table.*

L: Czy przyjmował pan jakieś leki przeciwbólowe?	D: *Did you take any painkillers?*
P: Tak. Paracetamol.	P: *Yes. Paracetamol.*
L: Przynosiło to ulgę?	D: *Did it relieve the pain?*
P: Na krótko, a ostatnio wcale.	P: *For a short time. Recently – not at all.*
L: Wystawię panu skierowanie na tomografię komputerową pleców. Proszę zgłosić się z wynikiem.	D: *I'll order a computed tomography of your back. Come back with the result.*

Wywiad okulistyczny
History taking in ophtalmology

Zapalenie spojówek	Conjunctivitis
Polish	English
L: Dzień dobry. Co się stało?	D: *Morning. What has happened?*
P: Dzień dobry, panie doktorze. Boli mnie prawe oko.	P: *Good morning, doctor. I have horrible pain in my right eye.*
L: Od kiedy?	D: *When did it start?*
P: Kiedy musiałam wstać w nocy i czułam, że coś jest nie tak. Rano było już strasznie.	P: *When I had to get up at night, I felt that something was wrong. It was horrible by the morning.*
L: Co pani ma na myśli?	D: *What do you mean?*
P: Oko było zaropiałe. Nie mogłam go otworzyć.	P: *The eye was festering (with pus). I wasn't able to open it.*
L: Powieki były tak mocno sklejone?	D: *Were your eyelids stuck together so firmly?*
P: Tak, bardzo.	P: *Yes, very.*
L: Widzę, że to oko jest trochę obrzęknięte. Od dawna?	D: *I see that this eye is a little bit swollen. Has it been like this for long?*
P: Nie wiem. Nie zauważyłam.	P: *I don't know. I haven't noticed.*
L: A od kiedy jest czerwone?	D: *Since when has it been red?*
P: Od wczorajszego wieczora.	P: *Since yesterday evening.*
L: Czy jest wrażliwe na światło?	D: *Is it sensitive to light?*
P: Tak. Ostre światło potęguje ból.	P: *Yes. Bright light makes the pain worse.*
L: Czy jeszcze widzi pani jakieś zmiany?	D: *Do you see any other changes?*
P: Mam wrażenie, jakby mnie coś drapało.	P: *I have this scratchy feeling.*
L: Czy wpadło pani coś do oka?	D: *Has anything got into your eye?*
P: Nie. Całe dnie siedzę w domu przy komputerze.	P: *No. I've been spending whole days at home on the computer.*
L: Czy widzi pani normalnie?	D: *Can you see normally?*
P: Z ledwością cokolwiek widzę..., ale tak.	P: *I can hardly see anything... but yes.*
L: Czy jest pani na coś uczulona?	D: *Are you allergic to anything?*
P: Tak, na pyłki, sierść kota i roztocza kurzu domowego.	P: *Yes, to pollen, cat fur and house mites.*

L: Czy używa pani nowych kosmetyków?	D: *Have you been using any new cosmetics?*
P: Nie, tylko te, co zawsze.	P: *No, just the usual.*
L: Zbadam teraz pani oczy. Proszę siedzieć prosto, patrzeć przed siebie.	D: *I'll examine your eyes now. Sit straight, look straight ahead.*

Wywiad otolaryngologiczny
History taking in otolaryngology

| **Krwawienie z nosa** | **Nose bleeding** |
Polish	English
L: Dobry wieczór pani. A ty jesteś Marek, prawda? Ja jestem dr Maria.	D: *Good evening, Madam. And you are Marek, aren't you? I'm Dr Maria.*
P: Dobry wieczór, pani doktor.	P: *Good evening, doctor.*
L: Co się stało?	D: *What happened?*
P: Mamy problem z nosem. Jak pani widzi, strasznie krwawi.	P: *We have a problem with his nose. As you can see, it's a horrible nosebleed.*
L: Od kiedy?	D: *Since when?*
P: Od czterech godzin.	P: *For four hours.*
L: Czy krew leci tak mocno przez cały czas?	D: *Has it been such a strong nose bleed all this time?*
P: Właściwie tak. Na chwilę przestaje i znowu zaczyna.	P: *In fact, yes. It stops for a moment and starts all over again.*
L: A czy zauważyła pani skrzepy?	D: *Have you noticed any clots?*
P: Nie, nie ma.	P: *No, there haven't been any.*
L: Co Marek robił, kiedy nos zaczął krwawić?	D: *What was Marek doing when he started bleeding?*
P: To było zaraz po zabawie z kolegami.	P: *It was just after he had been playing with his friends.*
L: Czy podczas zabawy ktoś go uderzył?	D: *Had anyone hit him while playing?*
P: Pytałam go o to. Mówi, że nie.	P: *I asked him about it. He denied.*
L: A co z dłubaniem w nosku? Wszyscy chłopcy tak robią, Marek pewnie też.	D: *What about nose-picking? All boys do it, so Marek probably does, too.*
P: Nie, brzydzi się tego.	P: *Oh, no. He is disgusted by it.*
L: Kiedy ostatnio Marek był przeziębiony? Kiedy chorował?	D: *When did he last have a cold? When was he sick?*
P: Oj, dawno temu. To już będzie ze trzy miesiące.	P: *Oh, a long time ago. It must be about three months ago.*
L: Świetnie. Zaraz się zajmiemy Marka noskiem, ale jeszcze proszę mi powiedzieć, czy ostatnio coś pani dawała dziecku do nosa? Może jakieś krople?	D: *That's great. We will take care of Marek's nose in a moment, but just one more thing. Tell me please, have you applied anything to his nose recently? Maybe some drops?*
P: Nie. Nic.	P: *No, nothing at all.*

L: Marek ma dopiero 10 lat, ale czy mierzyła mu pani kiedykolwiek ciśnienie?

D: *Marek is only 10, but have you ever took his BP?*

P: Nie, przecież to jeszcze małe dziecko.

P: *No, he is still a small kid.*

L: Czy ktoś u państwa w rodzinie ma nadciśnienie? Pani lub pani mąż?

D: *Has anyone in your family got hypertension? You or your husband?*

P: Tak... Obydwoje mamy. Od lat.

P: *Well, both of us have. For years.*

L: To i Markowi zaraz zmierzymy. Ale najpierw zajmiemy się noskiem.

D: *So, we will take Marek's BP as well. But first, let's take care of his nose.*

(do pacjenta)

(to the patient)

L: Tylko jeszcze jedno: Marku, czy nie jest ci słabo?

D: *Just one more thing: Marek, you are not feeling week, are you?*

P: Nie.

P: *No.*

L: Marku, chodź tutaj. Usiądziesz mamie na kolanach, a ja zobaczę, jak wygląda twój nosek. Nie martw się, nic nie będzie bolało. Sprzątniemy tylko ten bałagan i zobaczymy, czy nic nie ma w środku, dobrze? Nic nie ma. Wspaniale! To teraz włożę mały tampon, taki koreczek, do nosa i już krew nie będzie leciała. Pochyl trochę główkę do przodu, aby krew nie leciała do gardła. Posiedź sobie tutaj i odpocznij chwilę. Zaraz pielęgniarka zmierzy ci ciśnienie.

D: *Marek, come here please. Sit on your mom's lap, and I will see what your nose looks like. Don't worry, it won't hurt. We will just clean this mess and have a look if there is something inside, OK? There is nothing. Great! Now I will put in a small tampon, a kind of plug into your nose and the blood won't flow. Bend your head forward a little bit, so the blood won't get into your throat. Have a seat here and rest for a while. A nurse will take your BP in a moment.*

(do mamy pacjenta)

(to patient's mother)

L: Proszę pani, wszystko wskazuje na to, że Marek też choruje na nadciśnienie. Teraz jego ciśnienie wynosi 160/100. To zdecydowanie za dużo. Podamy Markowi leki obniżające ciśnienie. Proszę usiąść i poczekać w poczekalni. Za pół godziny dokonamy ponownie pomiaru. Jeśli ciśnienie się obniży, pójdziecie do domu. Jeśli nie, Marek będzie musiał zostać w szpitalu na obserwacji.

D: *Madam, everything indicates that Marek has hypertension as well. Right now his BP is 160/100. It is way too high. We will give him hypertensive drugs. Please sit down and wait in the waiting room. In half an hour we will take his BP once again. If it decreases, you will go home. If not, Marek will have to stay in hospital for clinical observation.*

P: Dobrze. Będziemy tutaj. Czy pani doktor nas zawoła?

P: *OK. We are going to be right here. Will you call us in?*

(za pół godziny)

(in half an hour)

L: Proszę wejść.

D: *Come in.*

P: Może jest teraz lepiej? Marek się uspokoił.

P: *Maybe it is a bit better now? Marek has calmed down.*

L: Zaraz sprawdzimy. Wspaniale! Ciśnienie spadło do wartości 120/75. Możesz iść teraz do domu. Proszę pani, musicie zgłosić się do poradni, aby uniknąć takich problemów w przyszłości.

P: *Let's check. Great! Your BP is 120/75. You can go home right now. Madam, Marek has to be followed up in the outpatient's clinic, to avoid such problems in future.*

P: Czy dostaniemy skierowanie?	P: Will we get a referral?
L: Tak, oczywiście. Tampon zostawimy tymczasem w nosie. Powinien sam wypaść. Jeśli nie, trzeba go usunąć za dwa dni.	D: Yes, certainly. We let the nasal pack stay in the nose. It should fall out on its own. If not, it will have to be removed in two days.
P: Czy mam to zrobić sama?	P: Should I do it myself?
L: Tak, oczywiście. Jeśli by był jakiś problem, proszę tu przyjść.	D: Yes, sure. If there is any problem, come here.
P: Dobrze. Bardzo dziękujemy, pani doktor.	P: OK. Thank you very much, doctor.
L: Marku, byłeś bardzo dzielny. Na pewno zasłużyłeś na jakąś nagrodę, prawda? Do widzenia.	D: Well, Marek you have been really brave. You deserve some kind of reward, don't you? Good bye.
P: Oczywiście. Do widzenia.	P: Sure. Good bye.

Zapalenie ucha środkowego	Otitis media
Polish	English
L: (Następny proszę.) Dzień dobry.	D: (Next, please). Good morning.
P: Dzień dobry, pani doktor.	P: Good morning, doctor.
L: Co się stało?	D: What happened?
P: Ewa się bardzo źle czuje. Potrzebujemy pomocy.	P: Ewa is feeling very bad. We need your help.
L: Co małej dolega?	D: What is she complaining about?
P: Skarży się na ból w prawym uchu. Mówi, że ją wciąż bardzo boli.	P: She is complaining of the pain in her right ear.
L: Od kiedy?	D: Since when?
P: Od dwóch dni. Ale ostatnia noc była najgorsza. Tak ją bolało, że wcale nie spała.	P: For two days. But last night was the worst. She was in such pain that she didn't sleep at all.
L: Czy mierzyła jej pani gorączkę?	D: Did you take her temperature?
P: Tak. W nocy miała ponad 39°C, teraz powyżej 38°C.	P: Yes. It was above 39°C at night, right now it's above 38°C.
L: Czy Ewa dzisiaj coś jadła?	D: Has Ewa had any food today?
P: Nie, nie ma apetytu już od kilku dni.	P: No, she's been off food for a couple of days.
L: Czy wymiotowała?	D: Has she been vomiting?
P: Dziś rano.	P: This morning.
L: Czy coś jeszcze pani zauważyła?	D: Have you noticed anything else?
P: Źle się czuje i jest nieznośna. Ostatnio też mało je. Od poprzedniego przeziębienia.	P: She is feeling bad and she's just horrible. And she hardly eats lately. Since her last cold.
L: Kiedy była przeziębiona?	D: When did she have this cold?
P: Tydzień temu. Nic poważnego, ale miała straszny katar. Jak ma zapchany nos, to nie ma apetytu.	P: A week ago. Nothing serious, but she had a horrible runny nose. When her nose is stuffed, she stops eating.
L: Czy nie zauważyła pani jakiejś wydzieliny z ucha?	D: Have you noticed any discharge from the ear?

P: Nie. Może... Mam wrażenie jakby gorzej słyszała na to ucho.

P: *No. Only... I have a feeling as if she can't hear very well with this ear.*

L: Czy Ewa często choruje?

D: *Is Ewa often sick?*

P: Hmm... Każdej jesieni i zimy jest przeziębiona. Odkąd poszła do przedszkola, jest dużo gorzej.

P: *Hmm... She is sick every fall and winter. It's been much worse, since she went to kindergarten.*

L: Czy chorowała na coś poważnego?

D: *Has she suffered from any serious diseases?*

P: Choroby wieku dziecięcego: wiatrówkę i świnkę.

P: *Childhood diseases: smallpox and mumps.*

L: Miała wcześniej jakieś problem z uszami? Kłopoty ze słuchem?

D: *Did she have any ear problems earlier? Hearing problems?*

P: Nie, wszystko było w najlepszym porządku.

P: *No, everything was in perfect order.*

L: Chciałabym zbadać Ewę. Proszę wziąć dziecko na kolana.

D: *I'd like to examine Ewa. Put the kid on your lap.*

(do dziecka)

(to the child)

Ewo, otwórz buzię. Tylko na chwileczkę. Hmm... Nie widzę nic niepokojącego... Wysuń języczek. Tak daleko, jak możesz. Dobrze, dziękuje. A teraz spróbuję obejrzeć twój nosek. I jeszcze obejrzymy uszy. Dziękuję. Byłaś bardzo dzielna.

Ewa, open your mouth. For a moment only. Hmm... I can see nothing bad. Stick your tongue out. As far as you can. OK, thanks. And now I'll try to see your nose. We will have a look at your ears. Thank you. You've been really brave.

(do mamy dziecka)

(to patient's mother)

L: Wszystko wskazuje na to, że Ewa ma zapalenie ucha środkowego. Najprawdopodobniej jest to spowodowane wcześniejszym przeziębieniem.

D: *All signs and symptoms indicate that Ewa has otitis media. Most probably it is caused by the cold she had earlier.*

P: Czy to coś poważnego?

P: *Is it serious?*

L: Jest to bardzo częsta infekcja u dzieci w wieku przedszkolnym. Jest bardzo bolesna.

D: *It is a very common infection in pre-school children. It is very painful.*

P: Czy będzie miała jakieś powikłania?

P: *Will she have any complications?*

L: Nie, nie sądzę.

D: *No, I don't think so.*

P: To nie wpłynie na jej słuch? Ewa ślicznie śpiewa, chce zostać piosenkarką.

P: *It won't affect her hearing? Ewa sings wonderfully, she wants to be a singer.*

L: Nie ma żadnych przeciwwskazań, by nią została.

D: *There are no contraindications for her to be a singer.*

P: Co powinna przyjmować na tę infekcję?

P: *What should she take for it?*

L: To zapalenie ucha nie wygląda łagodnie, aby uniknąć powikłań zapiszę antybiotyk. Proszę dawać jej amoksycylinę w dawce 250 mg/5 ml co osiem godzin przez tydzień. Osłonowo probiotyki. Powinna lepiej spać, być spokojniejsza. Wkrótce wróci apetyt.

D: *It's not a mild case of otitis media, to avoid complications I'll prescribe an antibiotic. Give her amoxycyllin 250 mg/5 ml every eight hours for a week. Probiotics as an antibiotic cover. She should sleep better and be calmer. Her appetite will return soon.*

P: Bardzo pani dziękujemy, pani doktor.	P: *Thank you very much, doctor.*
L: Mam nadzieję, że wszystko będzie dobrze. Gdyby nic się nie zmieniło po pięciu dniach, proszę raz jeszcze przyjść z Ewą.	D: *I hope everything will be all right. If there is no change in five days, come again with Ewa.*
P: Oczywiście. Do widzenia.	P: *Sure. Good bye.*
L: Do widzenia. Pa, pa, Ewo.	D: *Good bye. Bye, bye, Ewa.*

Wywiad diabetologiczny
History taking in diabetology

Cukrzyca	Diabetes mellitus
Polish	English
L: Dzień dobry. Państwo nie byli zapisani na wizytę, prawda?	D: *Good afternoon. You don't have an appointment, do you?*
P: Nie, nie byliśmy, ale...	P: *No, we don't, but...*
L: Proszę przyjść jutro. Lekarz będzie od godziny 10.	D: *Come tomorrow, please. There is a doctor from 10 a.m.*
P: Pani doktor, ale...	P: *Doctor, but...*
L: Dzisiaj przyjmowaliśmy pacjentów do godziny 15, a jest już kwadrans po.	D: *The patients were admitted till 3 p.m. And it is a quarter past three.*
P: Pani doktor, Jacek, mój synek, bardzo źle się czuje. Pani musi mu pomóc.	P: *Doctor, my son Jacek is feeling very bad. You must help him.*
L: Dobrze, jeśli to coś pilnego, to proszę.	D: *OK, if it is an urgent case, come in.*
P: Bardzo dziękuję.	P: *Thank you very much.*
L: Co się stało?	D: *What has happened?*
P: Jacek źle się czuje od kilku dni. Dzisiaj pani z przedszkola zadzwoniła do mnie do pracy, powiedziała, żeby przyjechać i zabrać natychmiast dziecko do lekarza. Z tego powodu tutaj jesteśmy.	P: *Jacek has been feeling bad for a couple of days. They've called me from his kindergarten today and told me to pick him up and take him to the doctor at once. That's why we are here.*
L: Rozumiem. Na czym polega to złe samopoczucie Jacka? Co mu dolega?	D: *I see. What do you mean by he's been feeling bad? What's been bothering him?*
P: Od dłuższego czasu źle wygląda. Bardzo schudł. Jego babcia zwracała na to uwagę, ale sądziłam, że podczas wakacji po prostu dużo się rusza. Ale teraz je więcej niż zwykle, a chudnie. Wciąż jest głodny.	P: *He's been feeling bad for a while. He's drastically lost weight. His grandmother was complaining about it, but I thought that during holidays, he was moving a lot. But now he eats more than usual and keeps losing his weight. And he is always hungry.*
L: Ile Jacek schudł?	D: *How much has he lost?*
P: Około pięciu kilogramów.	P: *About five kilograms.*
L: To trwa od jakiegoś czasu, prawda? Co stało się ostatnio, że jest pani tak zaniepokojona?	D: *It's been going on for some time, right? What has happened recently that you are so anxious?*

P: Zauważyłam, że Jacek bardzo dużo pije. Przedtem było gorąco, więc myślałam, że to dlatego, ale teraz...

P: *I've noticed that Jacek has been drinking a lot. It was hot before and I thought that was the reason, but now...*

L: Czyli Jacek dużo pije. A czy często chodzi do toalety?

D: *So Jacek is drinking a lot. Does he go to the bathroom often?*

P: Tak, bardzo często siusia. Każdej nocy wstaje kilka razy.

P: *Yes, he pees a lot. Every night he gets up a couple of times.*

L: Czy coś jeszcze może mi pani powiedzieć?

D: *Anything else that you can tell me?*

P: Chyba nie. Może jeszcze... Teraz Jacek szybko się męczy. Kiedyś był silny i miał kondycję. Teraz już nie.

P: *Not really. Maybe... Jacek gets tired rather quickly these days. He used to be strong, he was fit. Not any longer.*

L: Podsumujmy: jest słaby i zmęczony, je dużo, ale traci na wadze, dużo pije i często siusia.

D: *Let's sum it up: he's weak and tired, eats a lot but keeps losing weight, drinks a lot and frequently passes water.*

P: Zgadza się.

P: *That's right.*

L: W jakim wieku jest teraz Jacek?

D: *What's his age now?*

P: Ma sześć lat.

P: *He is six.*

L: Czy to pani pierwsze dziecko?

D: *Is it your first child?*

P: Tak.

P: *Yes.*

L: Czy ma pani inne dzieci?

D: *Do you have other children?*

P: Nie. Jacek jest jedynakiem.

P: *No. Jacek is the only child.*

L: Czy była pani w ciąży wcześniej?

D: *Were you pregnant before?*

P: Nie, to była moja pierwsza ciąża.

P: *No, it was my first pregnancy.*

L: Czy były jakieś powikłania?

D: *Were there any complications?*

P: Nie, żadnych.

P: *None.*

L: To była ciąża donoszona?

D: *He was a full-term baby?*

P: Tak.

P: *Yes.*

L: Rodziła pani siłami natury?

D: *Was it a spontaneous delivery?*

P: Nie, miałam cesarskie cięcie ze względu na problemy z oczami.

P: *No, I had a cesarean due to my eye problems.*

L: Czy ktoś w rodzinie choruje na cukrzycę?

D: *Does diabetes run in your family?*

P: Nie.

P: *No.*

L: Czy mierzyła pani kiedyś stężenie glukozy Jackowi?

D: *Have you ever taken his sugar level?*

P: Nie.

P: *No.*

L: Musimy to zrobić. Mam w gabinecie glukometr. Za pięć sekund zobaczymy...

D: *We have to do it. I have a glucometer in the office. In five seconds we will see...*

P: Co zobaczymy, pani doktor?

P: *What will we see, doctor?*

L: ...Czy to jest cukrzyca.

D: *...Whether it is diabetes.*

P: O Boże!

P: *Oh, God!*

(za kilka minut)

(in a couple of minutes)

L: 450 mg/dl. Proszę pani, stężenie glukozy nigdy nie powinno być wyższe niż 160 mg/dl.

D: *450 mg/dL. The sugar level shouldn't be higher than 160 mg/dL.*

P: I co dalej?

P: *So, what next?*

L: Bardzo dobrze, że przyszliście. Jacek na trochę zostanie w szpitalu. Trzeba zrobić badania. Zaopiekujemy się nim tutaj. Jeśli pani sobie życzy, może pani z nim zostać.

D: *That's great that you've come. Jacek will stay in hospital for a while. Some tests have to be taken. We will take good care of him. If you wish, you may stay with him.*

P: Czy to znaczy, że Jacek jest cukrzykiem? W naszej rodzinie nikt nigdy nie miał cukrzycy!

P: *Does it mean that he is diabetic? No one has ever had diabetes in our family!*

L: Cukrzyca jest chorobą rodzinną, ale nie tylko.

D: *Diabetes is a familial disease, but not only.*

P: Co my teraz zrobimy?

P: *What shall we do now?*

L: Pomożemy państwu. W naszym szpitalu jest bardzo dużo dzieci chorych na cukrzycę. Jacek nie będzie sam. Będą pewne zmiany w życiu Jacka, w życiu całej rodziny. Nauczycie się państwo wszystkiego. Krok po kroku.

D: *We will help you. There are many kids with diabetes in our hospital. Jacek won't be alone. There will be some changes in his life, in the life of the whole family. You will learn everything. Step by step.*

Wywiad ginekologiczny
History taking in ginecology

Antykoncepcja	Contraception
Polish	English
L: W czym mogę pomóc?	D: *How can I help you?*
P: Mam 23 lata, nigdy nie korzystałam z żadnej antykoncepcji, a teraz chciałabym zacząć przyjmować pigułki.	P: *I'm 23, I've never used any contraception, but right now I'd like to go on the pill.*
L: Dobrze. Najpierw jednak muszę zebrać wywiad i zbadać panią. Czy regularnie pani miesiączkuje?	D: *Fine. But I have to take your medical history and examine you first. Are your periods regular? (Do you menstruate regularly?)*
P: Tak.	P: *Yes.*
L: Jak często ma pani miesiączki?	D: *How often do you get your periods?*
P: Co cztery tygodnie.	P: *Every four weeks.*
L: Ile miała pani lat gdy zaczęła pani miesiączkować?	D: *How old were you when you started menstruating?*
P: Około 14.	P: *About 14.*
L: Kiedy miała pani ostatni okres?	D: *When was your latest period?*
P: Dwa tygodnie temu.	P: *Two weeks ago.*
L: Jak długo zazwyczaj twa krawawienie?	D: *How many days does your period usually last?*
P: Około pięciu, sześciu dni.	P: *About five to six days.*
L: Czy okresy są obfite, czy nie?	D: *Are your periods heavy or not?*
P: Nie, nie są obfite.	P: *No, they are not heavy.*

L: Czy są skrzepy?	D: Are there any clots?
P: Nie.	P: No.
L: Czy miesiączki są bolesne?	D: Are your menses painful?
P: Czasami.	P: Sometimes.
L: Czy bierze pani wtedy jakieś środki przeciwbólowe?	D: Do you take any painkillers then?
P: Staram się nic nie brać.	P: I try not to take anything.
L: Czy ma pani upławy?	D: Do you have any discharge?
P: Niewielkie.	P: A little.
L: Jakiego są koloru?	D: What color is it?
P: Białawe.	P: Whitish.
L: Czy zaobserowała pani jakiekolwiek niepokojące objawy?	D: Have you noticed any worrying symptoms?
P: Nie, nie wydaje mi się.	P: No, I don't think so.
L: Proszę się teraz przygotować do badania. Za chwilę panią zbadam.	D: Get ready for the physical. In a moment I'll examine you.

Wywiad z zakresu położnictwa
History taking in obstetrics

Ciąża	Pregnancy
Polish	English
L: Dzień dobry. Pani Ewa Bigos, tak? Proszę usiąść.	D: Good morning. Mrs Ewa Bigos, right? Do sit down, please.
P: Tak...	P: Yes...
L: Pani Ewo, mogę się tak do pani zwracać?	D: Ewa, may I address you this way?
P: Tak, bardzo proszę.	P: Yes, sure.
L: Nazywam się dr Kamyk. Zastępuję dr Paluch, która jest chora w tym tygodniu.	D: I'm Dr Kamyk. I'm a locum for Dr Paluch, who is sick this week.
P: Ach, teraz rozumiem. Dzień dobry, pani doktor.	P: Oh, I see now. Good morning, doctor.
L: Czy pani dzisiejsza wizyta to coś pilnego?	D: Your today's visit, is it anything urgent?
P: Nie, raczej nie. Tylko zwykła kontrola.	P: No, not really. Just a routine check-up.
L: To najpierw szybkie podsumowanie pani obecnego stanu zdrowia. Jeśli się pani z czymś nie zgadza, to proszę mnie poprawić, dobrze?	D: So first, a brief summary of your present condition. Correct me, if I'm wrong, OK?
P: Dobrze.	P: Fine.
L: Ostatnia miesiączka zaczęła się 5 marca. Jest już pani w trzecim trymestrze ciąży.	D: Your last period started March 5. Right now you are in the third trimester of the pregnancy.

P: Tak.

P: *Yes.*

L: Na początku ciąży, w pierwszym trymestrze, skarżyła się pani na bardzo częste nudności i wymioty.

D: *At the beginning of the pregnancy, in the first trimester, you were complaining of really frequent nausea and vomiting.*

P: Tak, były straszne.

P: *Yes, it was horrible.*

L: I co pomogło?

D: *And what was the remedy?*

P: Dr Paluch powiedziała, żebym jadła małe, ale bardzo częste posiłki. Zaleciła jeszcze magnez i witaminę B_6.

P: *Dr Paluch told me to eat small meals but very often. She put me on magnesium and vitamin B_6.*

L: Tak, widzę. To jest w pani karcie. I co jeszcze dokuczało?

D: *Well, I see. It is in your medical records. What else was bothering you?*

P: Obrzęki. Miałam nogi w kostkach popuchnięte. Szczególnie wieczorami.

P: *Swelling. My ankles were swollen. Especially in the evenings.*

L: A jak teraz wyglądają? Proszę pokazać stopy. Całkiem dobrze. I co pani pomogło?

D: *What do they look like now? Show me your feet, please. Pretty good. And what helped you?*

P: Przeszłam na dietę bezsolną. Jedzenie już tak dobrze nie smakuje, ale... Trudno.

P: *I started a salt-free diet. Food doesn't taste that good any longer, but... Well.*

L: Miała pani podwyższone ciśnienie. Czy kontroluje je pani?

D: *Your BP was elevated a bit. Do you control it?*

P: Tak. I zaczęłam zapisywać. Tu jest zeszyt samokontroli.

P: *Yes, I do. I've started making notes. Here is my self-control notebook.*

L: Wspaniale. Zaraz na to spojrzymy. To już wszystko. Czy o czymś zapomnieliśmy?

D: *Great. We will have a look at it. That's it. Have we forgotten about anything?*

P: To wszystko. Jeszcze na początku miałam bóle brzucha. Łagodne bóle podbrzusza, tylko po prawej stronie. To normalne, prawda?

P: *That's all. Well, at the beginning I had abdominal pains. Mild pain under my belly button, just the right site. That's normal, isn't it?*

L: Tak. Czy teraz coś się zmieniło? Czy coś panią boli?

D: *Yes. And what has changed now? Do you feel any pain?*

P: Czasami plecy mnie bolą.

P: *Sometimes I have back pain.*

L: Może mi pani pokazać, w którym miejscu?

D: *Can you point to the place where you get this pain?*

P: Tutaj. Na dole.

P: *Right here. My lower back.*

L: Czy w innych miejscach też panią boli?

D: *Do you feel any pain in other places as well?*

P: Nie.

P: *No.*

L: Jak często oddaje pani mocz?

D: *How often do you pass water?*

P: Około pięciu razy dziennie.

P: *About five times a day.*

L: A wypróżnienia są regularne?

D: *Are your bowel motions regular?*

P: Tak.

P: *Yes.*

L: Nie ma żadnych zmain?

D: *There are no changes?*

P: Niewielkie. Odczuwam lekki ból przy oddawaniu moczu.

P: *Some. I feel slight pain on urinating.*

L: Nie zauważyła pani krwawienia z dróg rodnych, upławów?

D: *Haven't you noticed any vaginal bleeding, discharge?*

P: Nie.	P: No.
L: Na kiedy wyznaczono termin porodu?	D: When is your baby due?
P: Około 26 listopada. Za niecałe trzy miesiące.	P: Roughly November 26. Almost in three months.
L: I to jest pani trzecie dziecko?	D: Is it your third child?
P: Tak.	P: Yes.
L: Czy miała pani inne dzieci?	D: Have you had any other children?
P: Tak, straciłam pierwsze. To był trzeci miesiąc ciąży.	P: I lost my first one. I was three months pregnant.
L: A te pozostałe dwie ciąże przebiegły bez powikłań?	D: And those other two pregnancies were uneventful?
P: Niezupełnie. Córka urodziła się sześć tygodni przed terminem, a syna urodziłam przez cesarkę (cięcie cesarskie).	P: Not really. The daughter was born six weeks premature, and my boy was by a C-section (caesarean section).
L: Proszę powiedzieć, w jakim są wieku?	D: Tell me what age they are.
P: Sześć i trzy.	P: Six and three.
L: A jak się chowają pani dzieci?	D: And how are your kids now?
P: Nieźle. Ale córka, która była wcześniakiem, wciąż jest mniejsza niż rówieśnicy.	P: Not bad. But my daughter, who was a preemie, is still too small for her age.
L: Rozumiem. Mierzyła pani dziś temperaturę?	D: I see. Have you taken your temperature today?
P: Rano miałam 37°C.	P: It was 37°C in the morning.
L: Czy czuła pani dzisiaj jakieś ruchy dziecka?	D: Have you felt any movements of the baby today?
P: Jeszcze nie. On dużo się rusza, ale wieczorem.	P: Not yet. He moves a lot, but in the evening.
L: To proszę się teraz przygotować do badania. Zaraz się panią zajmę.	D: So, prepare for the examination now. I'll be right back with you.

Wywiad pediatryczny
History taking in pediatrics

Podejrzenie zapalenia opon mózgowych	Suspicion of meningitis
Polish	English
L: Dobry wieczór panu. Cześć Adasiu. Rozumiem, że Adaś się źle czuje. Co się stało?	D: Good evening, Sir. Hi Adaś. I understand that Adaś is not feeling well. What's happened?
P: Dobry wieczór, pani doktor. Jestem przerażony. Żona jest w delegacji, zostałem sam z Adasiem, a wydaje się, że jest strasznie chory.	P: Good evening, doctor. I'm scared to death. My wife is on a business trip, I'm all alone with Adaś and he seems to be terribly sick.
L: Co pan zauważył?	D: What have you noticed?

P: Adasia boli główka. I gardło też go boli.	P: *Adaś has a headache, and a sore throat as well.*
L: Zaraz sprawdzimy, czy jest czerwone. Najpierw jednak... Jak długo to trwa?	D: *We are going to have a look if it is red. But first... How long has he been like this?*
P: Od wczoraj.	P: *Since yesterday.*
L: Czy coś jeszcze pan zauważył?	D: *Have you noticed anything else?*
P: Tak. Adaś zaczął kaszleć. Ma taki szczekający kaszel.	P: *Yes. Adaś has started coughing. He has such a barking cough.*
L: Miał podobne objawy miesiąc temu, prawda?	D: *He had similar symptoms a month ago, didn't he?*
P: Nie wiem. Zazwyczaj żona zajmuje się Adasiem.	P: *I don't know. My wife usually takes care of Adaś.*
L: Rozumiem. Proszę się nie martwić. Poradzimy sobie.	D: *I see. Don't worry. We will manage.*
P: Niepokoję się, bo słyszałem o zapaleniu opon mózgowych u dzieci. A Adasia trochę boli szyja.	P: *I'm anxious as I've heard about meningitis in children. And Adaś has some neck stiffness.*
L: Proszę spojrzeć na Adasia. Jest taki pełen energii, taki dynamiczny. Czy wygląda na ciężko chorego?	D: *Have a look at Adaś. He is so full of energy, so dynamic. Does he look really sick?*
P: Chyba nie, ale coś mu jest. A to zapalenie opon mózgowych brzmi przerażająco.	P: *Not really, but there is something wrong. And this meningitis idea sounds scary.*
L: To nie wygląda na zapalenie opon mózgowych. Ale jeszcze jedno pytanie: czy Adaś wymiotował?	D: *It doesn't look like meningitis. One more question: was Adaś vomiting?*
P: O, nie.	P: *Oh, no.*
L: To bardzo dobrze. Chciałabym teraz obejrzeć Adasia.	D: *That's great. I'd like to have a look at Adaś now.*

Wywiad z zakresu chorób zakaźnych
History taking in infectious diseases

Ospa wietrzna	*Chicken pox*
Polish	English
L: Dzień dobry. W czym mogę pomóc?	D: *Good morning. How can I help you?*
P: Dzień dobry, pani doktor. Wakacje się skończyły, rozpoczyna się rok szkolny, a Wojtek źle się czuje. Nie wiem, co robić.	P: *Good morning, doctor. Holidays are over, it's time to go to school, but Wojtek is feeling bad. I don't know what to do.*
L: Źle się czuje? Co mu jest?	D: *He is feeling bad? What's up?*
P: Jest osłabiony, boli go głowa i gardło, bolą go mięśnie...	P: *He is weak, he has a headache, sore throat, muscle pain...*
L: Ma apetyt?	D: *What about his appetite?*

P: Nie. A na dodatek kilka razy wymiotował.

P: *It's poor. On top of everything else, he has vomited several times.*

L: Czy gorączkuje?

D: *Is he feverish?*

P: Miał lekką gorączkę. Wczoraj poniżej 38°C, dzisiaj 38°C.

P: *Slightly. Yesterday below 38°C, today 38°C.*

L: Czy jeszcze coś pani zauważyła?

D: *Have you noticed anything else?*

P: Chyba nie.

P: *Not really.*

L: Wojtku, a ty coś dodasz?

D: *Wojtek, would you like to add anything?*

P: Nie, nic...

P: *No, nothing.*

L: To zaraz cię obejrzymy. Rozbierz się do pasa, proszę. O! A ta wysypka? Nie wspomniała pani o niej.

D: *We're going to have a look at you. Undress to the waist. Oh! What about this rash? You haven't mentioned it.*

P: O czym?

P: *Mentioned what?*

L: O tych krostkach na tułowiu. Widzi pani te czerwone krostki? Te pęcherzyki? Mają różny kształt i są różnej wielkości.

D: *This rash on the trunk. Can you see those red spots? Those vesicles? They are of different shape and size.*

P: Nie widziałam. Jest zimno, Wojtek wciąż chodzi w bluzie. Jest taki duży, że nie rozbiera się przede mną.

P: *I haven't seen them. It's cold outside. Wojtek keeps wearing a hoody, he doesn't undress in front of me.*

L: To są różne krosty, ale oznaczają jedno: wiatrówkę.

D: *These are different types of spots, but they mean one thing: chickenpox.*

P: Ospę wietrzną?

P: *Chicken pox?*

L: Tak. Wojtek nie chorował na nią, prawda?

D: *Yes. Wojtek hasn't had it, has he?*

P: Nie. Blisko 10 lat temu jego starszy brat ją miał, ale Wojtek był wtedy malutki i wysłałam go do babci. Natomiast ostatnio, dwa tygodnie temu, jego przyjaciel miał ospę. Chłopcy byli razem na obozie.

P: *No. It was about 10 years ago when his older brother had it, but Wojtek was a little kid then and I sent him to his granny. But recently, two weeks ago, his friend had chicken pox. They were camping together.*

L: To właśnie to.

D: *That's it.*

P: Zupełnie o tym zapomniałam.

P: *I've completely forgotten about it.*

L: Pewnie pani pamięta, że z pęcherzyków powstaną strupki. Swędzące. Jeśli Wojtek nie będzie ich drapał, to nie będzie śladów. Inaczej zostaną blizny.

D: *You do remember that vesicles will turn into scabs. Itchy ones. If Wojtek doesn't scratch them, no marks will be left. Otherwise, there will be scars.*

P: Tak, te krosty są bardzo swędzące. Wojtek wciąż się drapie.

P: *Yes, those spots are very itchy. Wojtek keeps scratching all the time.*

L: Przepiszę więc płyn do stosowania miejscowego, tylko na te pęcherze.

D: *That's why I'll prescribe a lotion to be applied directly to the blisters only.*

P: Świetnie. Dziękujemy.

P: *Great. Thank you.*

L: I jeszcze lek przeciwwirusowy – acyklowir. Zapiszę dokładne dawkowanie.

D: *Plus an antiviral drug – aciclovir. I'll write down the precise dosage.*

P: Dziękuję, pani doktor. Mam nadzieję, że już nigdy nie będzie ospy w domu.

P: *Thank you, doctor. I hope there will be no more chicken pox at home.*

L: Wojtek już nigdy jej nie będzie miał. Zdobywa odporność do końca życia. Ale lepiej ospę wyleczyć, aby po latach nie powróciła jako półpasiec.

D: *Wojtek will never have it again. He gains a life-long immunity. But it is better to cure it, so it won't return as shingles in the future.*

Wywiad psychiatryczny
History taking in psychiatry

Stan psychiczny	Mental state
Polish	English
L: W jakim jest pan teraz nastroju?	D: *What's your mood right now?*
P: Jestem przygnębiony. Życie nie sprawia mi radości.	P: *I'm feeling low. I'm not enjoying life.*
L: Czy cokolwiek panu sprawia radość?	D: *Does anything give you pleasure?*
P: Nie, nic.	P: *No, nothing.*
L: Czy ma pan siły, energię? Może pan je opisać?	D: *How can you describe your energy levels?*
P: Jestem w marnym stanie. Wykończony.	P: *I feel run down. I'm spent.*
L: Jest pan studentem, prawda? Czy pana studia są wymagające?	D: *You are a student, aren't you? Are your studies demanding?*
P: Jestem studentem, ale wziąłem rok wolnego. Przebywam na urlopie dziekańskim.	P: *Yes. I'm a student. But I've taken a year off. I'm on dean's leave.*
L: Czy coś pan robi w tym roku? Pracuje na godziny?	D: *Are you doing anything this year? A part time job?*
P: Nie, potrzebuję wypoczynku.	P: *No, I need some rest.*
L: Od jak dawna tak się pan czuje?	D: *How long have you been feeling like this?*
P: Prawie rok. Około dziewięć miesięcy.	P: *Most of the year. It will be about nine months or so.*
L: Czy zawsze brakowało panu energii?	D: *Do you always seem to lack energy?*
P: Mama tak mówiła.	P: *My mom was saying so.*
L: Jak pan sypia?	D: *Are you sleeping well?*
P: Nie mogę w nocy spać. Jak już w końcu zasnę, sąsiedzi wstają i budzą mnie.	P: *I can't sleep at nights. When I finally fall asleep, the neighbours get up and wake me up.*
L: Czy śpi pan w ciągu dnia?	D: *Do you sleep during the day?*
P: Od czasu do czasu godzinkę.	P: *I get an hour now and then.*
L: Jaki ma pan apetyt?	D: *How is your appetite?*
P: Staram się trzymać wagę, więc nie jem dużo. Oprócz tego jedzenie jest drogie.	P: *I try to keep my weight down, so I don't eat much. Besides, food is expensive.*
L: Z kim pan mieszka?	D: *Who do you live with?*
P: Mieszkam sam.	P: *I live alone.*

L: Ma pan dziewczynę?	D: *Do you have a girlfriend?*
P: Miałem, ale to był błąd.	P: *I had one, but it was a mistake.*
L: Ma pan przyjaciół, znajomych?	D: *Do you have any friends?*
P: Miałem kilku, ale oni są teraz bardzo zajęci: studia, praca, zarabianie pieniędzy...	P: *I used to have some, but they are so busy these days: studying, working, making money...*
L: Jak często pan wychodzi?	D: *How often do you go out?*
P: Prawie wcale. Nie ma nic interesującego w mieście.	P: *Hardly ever. There's nothing interesting around.*
L: A jakikolwiek ruch fizyczny?	D: *Any physical activity?*
P: Nie. To nie dla mnie.	P: *No. It's not my piece of cake.*
L: Czy może sie pan skupić na rzeczach, które pan robi?	D: *Can you focus on what you do?*
P: Nie. Nigdy nic nie kończę. Zawsze mam bałagan dookoła. Ciągle czegoś szukam. Wydaje się, jakby się rozpłynęły.	P: *Oh, no. I never finish things. There is always mess around me. I keep looking for stuff. Things seem to vanish in thin air.*
L: Czy ma pan jakiekolwiek plany na przyszłość? Związane ze studiami?	D: *Do you have any future plans? About your studies?*
P: Zobaczę za rok. Teraz chcę odpocząć.	P: *I'll see in a year. I want to rest now.*
L: Czy przyjmuje pan jakieś leki?	D: *Are you on any medication?*
P: Czasami.	P: *Sometimes.*
L: Jakie?	D: *What is it?*
P: Różne.	P: *Various stuff.*
L: Czy pan pije?	D: *Do you drink?*
P: Nie, to dużo kosztuje. Jestem bez grosza.	P: *Oh, it costs a lot. No, I'm broke.*
L: Brał pan jakieś narkotyki ostatnio?	D: *You haven't taken any drugs recently?*
P: Nigdy nie próbowałem narkotyków.	P: *No, I've never experimented with illicit drugs.*
L: Dlaczego nie?	D: *Why not?*
P: To nie jest bezpieczne! Mój najlepszy przyjaciel zmarł z powodu przedawkowania.	P: *It's not safe! My best friend died of an overdose.*
L: Kiedy to było?	D: *When was it?*
P: Rok temu.	P: *A year ago.*

Wywiad chirurgiczny
History taking in surgery

Zapalenie wyrostka robaczkowego	*Appendicitis*
Polish	English
L: Dzień dobry.	D: *Good morning.*
P: Dzień dobry, pani doktor.	P: *Good morning, doctor.*
L: Co panu dolega?	D: *What's bothering you?*

P: Boli mnie brzuch.	P: *I have a stomach ache.*
L: Gdzie dokładnie pana boli?	D: *Where precisely is this pain?*
P: Na dole, po prawej stronie.	P: *Low down on the right site.*
L: Od kiedy pana boli?	D: *Since when have you had this pain?*
P: Od wczorajszego wieczora.	P: *Since yesterday evening.*
L: Jaki to jest ból? Proszę go opisać.	D: *What type of pain is it? Describe it please.*
P: Nie jest jednolity: ściskający, piekący.	P: *It's changing: gripping and burning.*
L: Czy coś przynosi ulgę?	D: *Does anything bring relief?*
P: Tak, kiedy leżę nieruchomo.	P: *Yes, when I lie still.*
L: A kiedy jest najgorzej?	D: *When is it the worst?*
P: Kiedy się ruszam. I podczas kaszlu. Nawet nie mogę głęboko oddychać.	P: *When I move about. And when I cough. I can't even breathe deeply.*
L: Czy coś jeszcze pan zauważył?	D: *Have you noticed anything else?*
P: Jestem rozpalony. Mam lekką gorączkę – 38°C.	P: *I'm flushed. I have slight fever – 38°C.*
L: Miał pan wcześniej podobne problemy?	D: *Have you ever had similar problems?*
P: Nie. To jest po raz pierwszy.	P: *No. This is the first time.*
L: Czy jest pan głodny?	D: *Are you hungry?*
P: Nie. Nie mam apetytu. Niedobrze mi. Wymiotowałem dziś rano.	P: *No, I'm off food. I'm feeling sick. I vomited this morning.*
L: Jadł pan coś dzisiaj?	D: *Have you had any food today?*
P: Nie. Wypiłem tylko kubek kawy.	P: *No, just drank a mug of coffee.*
L: Czy cierpi pan na niestrawność?	D: *Do you suffer from indigestion?*
P: Nie, wcale.	*No, not at all.*
L: Czy ma pan problemy z oddawaniem moczu, z wypróżnieniami?	D: *Do you have problems passing water, with your bowel motions?*
P: Nie, nie mam.	P: *No, I don't.*
L: Czy boli pana gardło?	D: *Do you have a sore throat?*
P: Chyba nie, ale mam język obłożony.	P: *Not really, but I have a furred tongue.*
L: Czy jeszcze coś pan zauważył?	D: *Have you noticed anything else?*
P: Nie, chyba nie.	P: *No, I don't think so.*
L: Czy był pan kiedyś operowany?	D: *Have you ever had surgery?*
P: Nie.	P: *No.*
L: Czy jest pan na coś uczulony?	D: *Are you allergic to anything?*
P: O ile wiem, nie.	P: *Not that I know of.*
L: Dobrze, dziękuję bardzo. Proszę położyć się na kozetce, zbadam pana.	D: *That's fine, thank you. Lie down on the couch and I'll examine you.*

Wywiad urazowy
History taking in A & E

Uraz kolana	*Knee injury*
Polish	English
L: Dobry wieczór. Jestem dr Kwiatkowska. Co się stało?	*D: Good evening. I'm Dr Kwiatkowska. What happened?*
P: Uszkodziłam lewe kolano, grając w tenisa.	*P: I hurt my left knee while playing tennis.*
L: Kiedy to było?	*D: When was it?*
P: Dzisiaj, wcześnie rano. Koleżanka poprosiła mnie, bym zastąpiła w grze w tenisa jej partnerkę, która zachorowała. Przed pracą poszłyśmy więc krótko pograć, ale ja nie grałam w tenisa od wieków. No i tak to się stało.	*P: Early this morning. My friend's tennis partner got sick. So she asked me and we went before work for a while, but I hadn't played tennis for ages. And so it happened.*
L: Co właściwie się stało?	*D: What actually happened?*
P: Zupełnie nie wiem. Jestem przerażona. Jako dziecko miałam straszne problemy z tym kolanem.	*P: I know absolutely nothing. I'm in a panic. As a kid I had horrible problems with this knee.*
L: Chwileczkę. Za chwilę do tego wrócimy. Proszę mi powiedzieć coś więcej o tym wypadku.	*D: Just a moment. We will return to it in a second. Tell me something more about this knee.*
P: Na początku miałam wrażenie, że staw jest zablokowany, teraz jest wiotki.	*P: At the beginning I had the impression that the joint is locked, now it is giving way.*
L: Czy może pani stanąć na tej nodze?	*D: Can you stand on this leg?*
P: Nie, nie mogę utrzymać ciężaru na lewej nodze.	*P: No, I can't bear any weight on my left leg.*
L: To nie jest pani pierwszy uraz?	*D: It's not your first injury?*
P: Nie. Kiedy uczyłam się w szkole podstawowej, trenowałam grę w tenisa. Miałam całkiem zerwane wiązadło. Bardzo długo leżałam na oddziale ortopedii. Pamiętam, że operowano mnie. Miałam duży gips przez wiele tygodni i przechodziłam rehabilitację prawie przez rok. Potem pamiętam jakąś stabilizację kolana.	*P: No. When I was in elementary school I played tennis. I had a torn knee ligament. I was in the orthopedic ward for a long time. I remember being operated on. I had a full-length plaster cast and almost a year-long rehabilitation. Later on, I remember some kind of knee stabilization.*
L: Nie trenowała pani od tamtej pory?	*D: You haven't been training since then?*
P: Nie. Już nigdy nie byłam typem sportowca. Nie mam kondycji.	*P: No. I wasn't the sporty type after that. I'm not fit at all.*
L: Czy ma pani jakieś inne problemy ze stawami?	*D: Do you have any other joint problems?*
P: Tak. Mam problemy z niedoborem mazi stawowej. Kolana mi zawsze strzelają.	*P: Yes. I have a synovial fluid deficiency. My knees always crack.*

L: Czy jeszcze coś pani dolega?	D: *Do you have any other problems?*
P: Nie.	P: *No.*
L: Dobrze. To zobaczymy teraz to kolano. Hmm... Nie jest spuchnięte. Niczego pani nie przykładała na nie?	D: *OK. Let's have a look at your knee. Hmm... It's not swollen. You haven't applied anything to this knee, have you?*

Uraz ręki	Hand injury
Polish	English
L: Dzień dobry. Jestem dr Buk. A ty Piotr, prawda?	D: *Morning. I'm Dr Buk. And you are Piotr, right?*
P: Tak. Dzień dobry, panie doktorze.	P: *That's right. Good morning, doctor.*
L: Jak zraniłeś się w rękę?	D: *How did you hurt your hand?*
P: Reperowałem rower. Przeciąłem rękę kawałkiem starego metalu.	P: *I was repairing my bike. I cut my hand on an old piece of metal.*
L: Metalu? Hmm... Przynajmniej nic nie zostało w dłoni. Kiedy to się stało?	D: *Metal? Hmm... At least nothing is left in the hand. When did it happen?*
P: Przed południem. Na początku myślałem, że wszystko jest w porządku. Teraz wydaje mi się, że nie mam czucia w małym palcu.	P: *Before noon. At the beginning I thought everything was OK. Now, I think my little finger is numb.*
L: Co zrobiłeś z ręką zaraz po wypadku?	D: *What did you do with your hand right after the accident?*
P: Strasznie krwawiła, więc wziąłem kawałek tkaniny i zawinąłem ją.	P: *It was bleeding heavily, so I took a piece of fabric and wrapped it around.*
L: Długo krwawiła?	D: *Was it bleeding long?*
P: Ucisnąłem ją mocno i trzymałem w górze przez jakiś czas. Po 5–10 minutach przestała.	P: *I pressed hard on the hand and held it up for some time. It stopped after 5–10 minutes.*
L: Kiedy miałeś ostatni zastrzyk przeciwtężcowy?	D: *When did you have your last tetanus shot?*
P: Nie wiem. Zaraz zadzwonię do mamy, ona wszystko wie.	P: *I don't know. I'll call mom, she knows everything.*
L: Dobrze. Najpierw jednak połóż rękę na stole. Obejrzę ją. Nie ruszaj nią. To zajmie minutę.	D: *Fine. Put your hand on this table first. I'll have a look at it. Don't move your hand. It'll take a minute.*

Złamanie	Fracture
Polish	English
L: Dzień dobry. Co się stało z ręką?	D: *Good morning. What's happened with your hand?*
P: Potknęłam się i przewróciłam.	P: *I stumbled and fell down.*
L: Gdzie to było?	D: *Where was it?*
P: Tutaj, niedaleko. Na chodniku.	P: *Not far from here. On the sidewalk.*
L: Kiedy?	D: *When?*

P: Półtorej godziny temu.	P: *An hour and a half ago.*
L: Kiedy miała pani zastrzyk przeciwtężcowy?	D: *When did you have your tetanus shot?*
P: Bardzo dawno, nie pamiętam.	P: *A long time ago, I can't remember.*
L: Czy w tym miejscu panią boli?	D: *Does it hurt here?*
P: Tak, ta cała część.	P: *Yes, this whole part.*
L: Chyba włożymy rękę w gips, ale najpierw trzeba zrobić prześwietlenie.	D: *We may put your hand in plaster, but first an X-ray has to be taken.*

Wywiad onkologiczny
History taking in onkology

Rak płuca	*Lung cancer*
Polish	English
L: Dzień dobry, panie Krawczyk. Jak pan się czuje po nocy?	D: *Good morning, Mr Krawczyk. How are you feeling after last night?*
P: Ciężko było. Niemal nie spałem.	P: *It was a difficult one. I hardly slept.*
L: To samo, co zwykle?	D: *The usual problems?*
P: Tak. Pielęgniarka dała mi jakieś środki przeciwbólowe. Trochę pomogło.	P: *Yes. The nurse gave me some painkillers. It helped a bit.*
L: Przykro mi to słyszeć. Mamy wyniki pana badań. Obawiam się, że nie są dobre. Chciałby pan teraz o tym porozmawiać, czy może później?	D: *I'm sorry to hear it. We have your test results. I'm afraid they are not good. Would you like to talk about it now, or maybe later?*
P: Teraz. Chcę mieć to za sobą.	P: *Right now. I want to be done with it.*
L: Przyszedł pan do szpitala w celu diagnozy złej kondycji u pana. Zrobiliśmy wiele badań...	D: *You came to hospital to find the cause of your bad condition. Many tests have been done...*
P: Tak?	P: *Yes?*
L: ...Mam ich wyniki. Wskazują na raka płuca.	D: *... I have the results. They point to lung cancer.*
P: Jest pan pewien?	P: *You are sure, aren't you?*
L: Obawiam się, że tak.	D: *I'm afraid so.*
P: Czułem to. Wiedziałem.	P: *I had a feeling. I knew it.*
L: Niestety, to już jest stan nieoperacyjny.	D: *Unfortunately, it is inoperable.*
P: To co zostaje?	P: *So, what's left?*
L: Możemy włączyć chemioterapię i radioterapię.	D: *We can try chemotherapy and radiotherapy.*
P: Czy to pomoże?	P: *Will it help?*
L: Zawsze może pomóc.	D: *There's always a chance.*
P: A jakie są rokowania?	P: *What is the prognosis?*
L: Dla tego typu nowotworów nie są one dobre.	D: *Prognosis is not good for that type of cancer.*

P: Ile czasu mi zostało?	*P: How much time do I have?*
L: Obawiam się, że niezbyt dużo.	*D: Not much, I'm afraid.*
P: Na ile mogę liczyć?	*P: How much can I count on?*
L: Przynajmniej dwa miesiące.	*D: At least two months.*
P: Byłoby łatwiej, gdyby żona żyła.	*P: It would be easier if my wife were around.*
L: Wiem, że nie jest panu łatwo. Przykro mi, że muszę panu przekazać tak złe wiadomości.	*D: I know it is not easy for you. I'm sorry to tell you such bad news.*
P: Kiedyś to trzeba usłyszeć.	*P: There comes a time.*
L: Czy coś jeszcze chciałby pan wiedzieć?	*D: Would you like to know anything else?*
P: Nie, nie teraz. Jestem wdowcem. Muszę zająć się ostatnimi sprawami.	*P: No, not now. I'm a widower. I have to see to last things.*
L: Jeśli będzie miał pan jakieś pytania, proszę o wszystko pytać na wieczornym obchodzie.	*D: If you have any questions feel free to ask on evening ward round.*
P: Mimo wszystko dziękuję za szczerość, doktorze.	*P: Anyway doctor, thank you for being honest.*
L: Nie ma za co.	*D: You're welcome.*

Rozdział 4

Diagnostyka
Diagnostics

Badania i testy
Examinations and tests

Badania i testy	Examinations and tests
Polish	English
• aktywność amylazy w surowicy krwi	• *serum amylaze*
• angiogram naczyń wieńcowych	• *coronary angiogram*
• artroskopia	• *arthroscopy*
• badania laboratoryjne	• *laboratory tests*
• badania serologiczne	• *serological tests*
• badanie na obecność *Helicobacter pylori*	• *test for Helicobacter pylori*
• badanie płynu mózgowo-rdzeniowego (CSF)	• *cerebro-spinal fluid (CSF) analysis*
• barwienie metodą Grama	• *Gram stain*
• barwienie moczu	• *urinalysis*
• densytometria	• *densitometry*
• doustny test tolerancji glukozy (OGTT)	• *oral glucose tolerance test (OGTT)*
• echokardiogram	• *echocardiogram*
• elektroencefalografia (EEG)	• *electroencephalography (EEG)*
• elektroencefalogram	• *electroencephalogram*
• elektroforeza białka surowicy	• *serum protein electrophoresis*

• elektrokardiogram (EKG)
   EKG 24-godzinne, ambulatoryjne
   EKG spoczynkowe
   EKG wysiłkowe
	• *electrocardiogram (ECG)*
	   ECG 24-hour ambulatory
	   ECG at rest, resting
	   ECG exercise, on exertion

• elektrolity	• *electrolytes*
• gastroskopia	• *gastroscopy*
• gazometria krwi tętniczej	• *arterial blood gases*
• klirens kreatyniny	• *creatinine clearance*

• kortyzol	• *cortizol*
• kreatynina	• *creatinine*
• krew utajona w stolcu	• *faecal occult blood*
• kwas moczowy	• *uric acid*
• mocznik	• *urea*
• natężona objętość wydechowa pierwszosekundowa (FEV$_1$)	• *forced expiratory volume in 1 second(FEV$_1$)*
• objętość zalegania	• *functional residual capacity*
• odczyn Biernackiego (OB)	• *erythrocyte sedimentation rate (ESR)*
• oznaczenie przeciwciał przeciwwirusowych	• *viral antibody titres*
• pełna morfologia krwi	• *full blood count*
• posiew bakterie beztlenowe bakterie tlenowe	• *blood culture* *anaerobic organisms* *aerobic organisms*
• posiew kału	• *stool culture*
• posiew krwi	• *blood culture*
• poziom wodorowęglanów	• *bicarbonate level*
• próby czynnościowe	• *function tests*
• próby wątrobowe	• *liver function tests*
• rezonans magnetyczny	• *magnetic resonance imaging (MRI)*
• scyntygrafia	• *scyntygraphy*
• spirometria	• *spirometry (pulmonary function tests)*
• stężenie glukozy na czczo	• *glucose fasting level*
• stężenie glukozy po posiłku	• *glucose postprandial level*
• stężenie lipidów na czczo	• *fasting lipids*
• stężenie tyreotropiny (TSH)	• *thyroid stimulating hormone level (TSH)*
• stężenie tyroksyny	• *thyroxine level*
• stężenie żelaza w surowicy	• *serum iron level*
• szczytowy przepływ wydechowy	• *peak exspiratory flow rate*
• test ciążowy	• *pregnancy test*
• testy koagulacyjne	• *coagulation tests*
• testy skórne alergiczne	• *allergy testing of the skin*
• tłuszcz w stolcu, ocena	• *faecal fat estimation*
• tomografia komputerowa	• *computed (axial) tomography (CT)*
• ultrasonografia (USG)	• *ultrasonography (USG)*
• wymuszona pojemność życiowa	• *forced vital capacity*
• zdjęcie kontrastowe	• *barium meal*
• zdjęcie rentgenowskie (RTG) tylno-przednie boczne	• *X-ray picture* *posteroanterior* *lateral*

Rodzaje badań	Types of examinations
Polish	English
• bakteriologiczne	• *bacteriological*
• biochemiczne	• *biochemical*
• cytologiczne	• *cytological*
• czynnościowe	• *functional*
• diagnostyczne	• *diagnostic*
• dokładne, skrupulatne	• *scrupulous*

• endoskopowe, wziernikowanie
   kolonoskopia
   gastroskopia
   bronchoskopia
	• *endoscopic*
	   colonoscopy
	   gastroscopy
	   bronchoscopy

• fizykalne, przedmiotowe	• *physical*
• ginekologiczne	• *gynecological*
• gruntowne, dokładne	• *thorough*
• histologiczne	• *histological*
• kliniczne	• *clinical*
• kontrastowe	• *contrast*
• kontrolne	• *follow-up, control*
• lekarskie	• *medical*
• makroskopowe	• *macroscopic*
• mikrobiologiczne	• *microbiological*
• mikroskopowe	• *microscopic*
• neurologiczne	• *neurological*
• pobieżne, powierzchowne	• *superficial*
• położnicze	• *obstetric*
• profilaktyczne	• *preventive*
• prospektywne	• *prospective*
• psychiatryczne	• *psychiatric*
• radiologiczne	• *radiological*
• retrospektywne	• *retrospective*
• sądowo-lekarskie	• *forensic-medical*
• sekcyjne (autopsja)	• *postmortem (autopsy)*
• stomatologiczne	• *dental*
• wewnętrzne	• *internal*
• wstępne	• *preliminary*

Przygotowanie do badania
Preparation for examination

Kolonoskopia

Przygotowanie do badania jelita grubego przy zastosowaniu roztworu Fleet Phosphosoda:

Przed badaniem	Dieta	Produkty sugerowane	Produkty zabronione
48 godzin	ubogoresztkowa	ryż, makaron, bulion, biały chleb, gotowane mięso i ryby, soki bez owoców, herbata, napoje niegazowane	sałatki, warzywa, owoce, sosy, kiełbasy, mleko, napoje gazowane
24 godziny	płynna	woda, bulion, jasna herbata, mięta, rumianek, jasne soki, niegazowane napoje	

Colonoscopy

Preparation for the colon examination with the use of Fleet Phospho-soda preparation fluid:

Before examination	Diet	Suggested foods	Food forbidden
48 hours	low fibre	rice, pasta, meat stock, white bread, cooked meat and fish, strained fruit juice, tea, non-carbonated drinks	salads, vegetables, fruit, sauces, sausages, milk, carbonated drinks
24 hours	liquid	water, meat stocks, weak tea, mint, light-colored juices, non-carbonated drinks	

Instrukcja przyjmowania preparatu Fleet Phospho-Soda

Badanie przed południem (do godziny 14)
Dzień przed badaniem:

Godz. 7 (pierwsza dawka)	Zamiast śniadania wypić co najmniej dwie szklanki wody lub innego jasnego płynu. Rozpuścić zawartość jednej buteleczki roztworu w połowie szklanki wody. Wypić. W godzinach 8–17 wypić 1,5 litra wody lub innych jasnych płynów.
Godz. 19 (druga dawka)	Zamiast kolacji wypić co najmniej dwie szklanki wody lub innego jasnego płynu. Rozpuścić zawartość drugiej buteleczki roztworu w połowie szklanki wody. Wypić. Popić trzema szklankami wody lub innym jasnym płynem.

Dzień przed badaniem: jeśli nadal występuje pragnienie, wodę lub inne jasne płyny można pić do godz. 24. Płyny wypite później mogą powodować wypróżnienia, co uniemożliwi sen. W dniu badania można przyjąć niewielką ilość jasnych płynów. Większe ilości mogą spowodować nagłe wypróżnienia.

Usage direction for Fleet Phospho-Soda preparation fluid

If your examination is before 2 p.m.
One day before the examination:

7 a.m. (first dosage)	*Drink at least two glasses of water or light-colored drink instead of breakfast. Mix the content of the first Fleet bottle with a half of glass of water. Drink it. Drink 1.5 l of water or any light-colored drink between 8 a.m. and 5 p.m.*
7 p.m. (second dosage)	*Drink at least two glasses of water or light-colored drink instead of supper. Mix the content of the second Fleet bottle with a half of glass of water. Drink it. Drink three more glasses of water or any light-colored drink.*

A day prior to the examination: in case of persistent thirst you may drink water or any other light-colored drink till midnight. Any liquids taken later may cause BMs, which will make you unable to sleep. On the day of the examination you can drink small quantity of light-colored drinks. Bigger quantities may cause sudden BMs.

Wynik opisowy badania
Descriptive result of examination

USG jamy brzusznej

Trzustka normoechogeniczna, niepowiększona. Przewód Wirsunga nieposzerzony. Stan po cholecystektomii. Nieobecne objawy bólowe w prawym górnym nadbrzuszu (RUQ) w wywiadzie i podczas kontrolowanego w USG ucisku. Przewód żółciowy wspólny nieposzerzony. Wątroba normoechogeniczna, niepowiększona bez zmian ogniskowych. W badaniu doplerowskim nie stwierdza się obszarów o zwiększonym przepływie tkankowym. Żyła wrotna nieposzerzona. Położenie obu nerek typowe, o prawidłowym współczynniku miąższowo-miedniczkowym. Przekrój podłużny prawej nerki – 11 cm, lewej nerki – 11 cm. Nie stwierdza się cech zastoju w nerkach. Odcinki przynerkowe moczowodów nieposzerzone. Śledziona niepowiększona, normoechogeniczna. Przestrzeń zaotrzewnowa w części widocznej bez cech adenopatii. Aorta brzuszna bez odcinkowych poszerzeń. Pęcherz moczowy o gładkich zarysach dobrze wypełniony, bez cech wewnętrznych i tworów endofitycznych.

USG of the abdominal cavity

Pancreas unenlarged, normoechogenic. Wirsung's duct not dilated. Postcholecystectomy condition. Right upper quadrant (RUQ) in history and examination pain-free, no peritoneal symptoms. Main bile duct not dilated. Normal homogenous, unenlarged liver, with no sign of focal changes. Doppler's examination revealed no areas of increased tissue flow. Portal vein with no signs of dilatation. Typical placement of both kidneys, with a regular parenchymatous-pyelonephritic ratio. Longitudinal cross section of the right kidney – 11 cm, of the left kidney – 11 cm. No retention signs present. Paranephric segments of urinary ducts not dilated. Normoechogenic, unenlarged spleen. Visible parts of retroperitoneal space with no signs of adenopathy. Abdominal aorta with no signs of segmental dilatations. Smoothly shaped urinary bladder correctly filled with no signs of internal lesions and endophytic formations.

Wynik badania
Result of examination

Wynik badania radiologicznego kręgosłupa szyjnego

Lordoza szyjna zachowana. Zwężenie przestrzeni międzytrzonowych C4–C5 i C5–C6. Zmiany zwyrodnieniowe trzonów kręgów głównie na poziomach od C4 do C7.

Podejrzenie niestabilności kręgosłupa na poziomie C7–Th1. Wysokość trzonów kręgów szyjnych w normie.

Results of the cervical spine radiological examination

Cervical lordosis preserved. Intervertebral space stenosis at C4–C5 and C5–C6 level. Spondylosis is present mainly at C4–C7 level.

Spine instability at C7–Th1 suspected. Cervical vertebrae height within the normal range.

Kącik językowy
Language corner

Polish	English
• Badania przeprowadzono.	• *Tests were done, carried out, conducted.*
• Badanie na obecność krwi w kale.	• *Test for blood in stool.*
• Badanie potwierdziło rozpoznanie TB. Badania potwierdziły rozpoznanie TB (pl.)	• *Test/s confirmed TB diagnosis.*
• Badanie wskazuje na obecność przeciwciał. Badania wskazują na obecność przeciwciał (pl.)	• *Test/s showed, revealed antibodies.*
• Pacjent przeszedł badania Pacjentka przeszła badania (f.)	• *The patient underwent tests.*
• Pacjenta skierowano na badania Pacjentkę skierowano na badania (f.)	• *Tests were ordered.*
• Przeprowadzono następujące badania...	• *The following examinations were administered...*

Rozdział 5

Opis choroby – wzory
Disease presentation – examples

Zapalenie spojówek
Conjunctivitis

Opis	Description
Jest to infekcja spowodowana wirusami, bakteriami lub czynnikami alergicznymi (zazwyczaj pyłkami lub kosmetykami).	It is an inflammation caused by viruses, bacteria or allergic factors (usually cosmetics or pollen).
Objawy	**Symptoms**
Typowymi objawami zapalenia spojówek jest zaczerwienienie oka, podrażnienie i łzawienie. W bakteryjnym zapaleniu spojówek występuje śluzowo-ropna wydzielina. W alergicznym zapaleniu spojówek wydzielina jest transparentna, a powieki opuchnięte.	Common symptoms and signs of conjunctivitis is red eye (hyperaemia), irritation (chemosis) and watering (epiphora). In bacterial conjunctivitis mucopurulent discharge is common. In allergic conjunctivitis, the discharge is clear and the eyelids are swollen.
Leczenie i profilaktyka	**Treatment and prophylaxis**
W infekcjach bakteryjnych zaleca się leczenie antybiotykami lub lekami steroidowymi. Najlepszą profilaktyką jest przestrzeganie zasad higieny oka, unikanie podrażnienia i systematyczne stosowanie kropli do oczu.	A course of antibiotic or steroid treatment is recommended in bacterial infections. The best prevention is to practice good hygiene, avoid eye irritation and use eye drops regularly.

Zapalenie ucha środkowego (ZUŚ)
Otitis media (OM)

Opis	*Description*
Jest to częsta choroba wieku dziecięcego. Zazwyczaj jej przyczyną jest infekcja wirusowa lub bakteryjna. Najczęściej ostra postać zapalenia występuje po przeziębieniu. Dzieci poniżej siódmego roku życia są bardziej podatne na ZUŚ ze względu na swoją budowę anatomiczną. Niektórzy pacjenci cierpią na nawracające epizody zapalenia ucha środkowego.	*It is an inflammation of the inner ear – a common childhood infection. It is most commonly of viral or bacterial origin. Typically, acute OM follows a cold. Children younger than seven are more prone to OM due to their anatomical structure. Some patients suffer from recurrent episodes of OM.*

Objawy	*Symptoms and signs*
Najczęstsze objawy ostrego ZUŚ to: • bardzo silny, ciągły ból ucha; • wysoka gorączka (u dzieci nawet powyżej 40°C); • uczucie zapchania ucha; • problemy ze słuchem w chorym uchu; • złe samopoczucie, niepokój; • wymioty; • perforacja błony bębenkowej.	*The most typical symptoms and signs of acute OM are:* • *severe, constant earache;* • *high fever (over 40°C in children) ;* • *feeling of congestion in the ear;* • *hearing problems in the affected ear;* • *fatigue, anxiety;* • *vomiting;* • *perforation of the tympanic membrane.*

Rozpoznanie	*Diagnosis*
Podstawą rozpoznania jest wywiad i badanie ucha za pomocą otoskopu (wziernika do badania ucha).	*The diagnosis is based on medical history and examination with an otoscope (an instrument for ear examination).*

Leczenie	*Treatment*
Najczęściej stosuje się leki przeciwzapalne i przeciwbólowe oraz leki przeciwgorączkowe, np. paracetamol czy ibuprofen. W ostrym bakteryjnym ZUŚ wprowadza się antybiotykoterapię. W cięższych przypadkach zaleca się leczenie chirurgiczne. Leczenie najczęściej jest skuteczne. W niektórych przypadkach mogą wystąpić powikłania. Do najczęstszych należy zapalenie ucha wewnętrznego i zapalenie opon mózgowych.	*Painkillers and anti-inflammatory drugs are most commonly used. Antipyretic drugs like paracetamol or ibuprofen are prescribed. In acute OM a course of antibiotic treatment is instituted. In more severe cases surgical treatment is recommended.* *This treatment is usually effective. In some cases complications may set in. The most common include otitis interna and meningitis.*

Przewlekła obturacyjna choroba płuc (POChP)
Chronic obstructive pulmonary disease (COPD)

Opis	Description
Jest to nieuleczalna, nieodwracalna, postępująca, śmiertelna choroba płuc. Stanowi schorzenie społeczne. Prognozuje się, że 2030 roku będzie to czwarta pod względem częstości przyczyna zgonów w skali świata.	*This disease is also known as lung (COLD) or airway (COAD) disease. It's an incurable, irreversible, progressive, fatal disease of the lung; a social disease, projected to be the fourth leading cause of death worldwide by 2030.*

Objawy	Symptoms
Typowe objawy to: • duszność – początkowo pojawiająca się podczas wysiłku, w fazach późniejszych również w spoczynku; • przewlekły kaszel z odksztuszaniem i bez odksztuszania wydzieliny, głównie u palaczy; • świszczący, przyśpieszony oddech; • możliwa utrata masy ciała spowodowana anoreksją.	*Typical symptoms and signs of COPD:* • *dyspnea, on exertion in the early stage, or at rest in later stages;* • *productive or non-productive chronic cough, especially in smokers;* • *wheezing and tachypnea;* • *loss of body weight caused by anorexia.*

Rozpoznanie	Diagnosis
Badaniem potwierdzającym POChP jest spirometria.	*The diagnosis of COPD is confirmed by spirometry.*

Leczenie	Treatment
W terapii POChP stosuje się przewlekłą tlenoterapię, która przedłuża życie i podnosi jego jakość.	*Long term oxygen treatment prolongs life and improves its quality.*

Rozdział 6

Opisy przypadków
Case studies

Przewlekłe zapalenie trzustki

Mężczyznę w wieku 57 lat, w stanie lekkiej nietrzeźwości, z objawami żół-
taczki (znalezionego na ulicy) przywieziono do Izby Przyjęć Uniwersyteckiego
Szpitala Klinicznego Nr 1 w Łodzi, a następnie przyjęto na Oddział Chorób
Wewnętrznych tego szpitala.

U pacjenta utrzymywała się wysoka gorączka, narzekał on na kilkumie-
sięczny silny ból brzucha promieniujący do pleców. Chory wspomniał o częstych
atakach nudności i wymiotów nasilających się po posiłku.

W wywiadzie stwierdzono dużą utratę masy ciała. Pacjent przyznał się do
spożywania znacznej ilości alkoholu. Były to wszystkie informacje uzyskane
w wywiadzie.

Podczas badania odnotowano podwyższone ciśnienie tętnicze (180/95 mm
Hg), tachykardię oraz przyspieszony oddech. W badaniu jamy brzusznej wy-
kazano tkliwość brzucha (powłok brzusznych), zredukowane odgłosy jelitowe.
Nie stwierdzono podwyższonego stężenia glukozy we krwi.

Rozpoznanie – alkoholowe przewlekłe zapalenie trzustki – potwierdziły
wyniki testów krwi i ultrasonografii endoskopowej (EUS).

Wprowadzono leczenie farmakologiczne: uzupełnienie płynów i elektroli-
tów drogą dożylną, morfinę w celu złagodzenia bólu. Pacjenta poinformowano
o konieczności zachowania restrykcyjnej diety w tym: znacznego ograniczenie
tłuszczów i całkowitego odstawienie alkoholu.

Chronic pancreatitis

*A 57-year-old mildly intoxicated, jaundiced homeless man was brought to the A & E of the
Medical University Hospital No. 1 in Lodz and admitted to the Internal Diseases Ward.*

*The patient was markedly pyretic and complained of severe abdominal pain radiating
to the back of several months' duration. The patient reported frequent episodes of nausea and
vomiting aggravated by food.*

The patient reported a considerable weight loss. He admitted excessive alcohol consumption. No further history data were available.

Physical examination revealed elevated BP (180/95 mm Hg) as well as tachypnoea and tachycardia. Furthermore, tenderness of the abdomen and reduced bowel sounds were observed. Glucose levels were normal.

The results of blood tests and endoscopic abdominal ultrasonography (EUS) confirmed the initial diagnosis of alcoholic chronic pancreatitis.

Pharmacological treatment was instituted: IV fluids and electrolytes supplementation, morphine for pain control. The patient was given clear instructions about strict fat restrictions in his diet and total abstinence from alcohol.

Czerniak

W dniu 17.06.2012 r. pacjentkę z podejrzeniem czerniaka w wieku 82 lat przyjęto do szpitala w celu wykonania planowego zabiegu chirurgicznego.

W przeprowadzonym przy przyjęciu badaniu odnotowano zmianę umiejscowioną na lewej łydce, charakterystyczną dla czerniaka. Nie stwierdzono cech wskazujących na przerzuty.

Stan ogólny pacjentki był dobry, uwzględniając jej grupę wiekową, wyjątek stanowiło nadciśnienie tętnicze (177/90 mm Hg).

We wczesnym okresie menopauzy u chorej występowały częste złamania. W ostatnich latach zanotowano dobrą kontrolę osteoporozy.

Wyniki przedoperacyjnych badań laboratoryjnych mieściły się w normie.

Zmianę usunięto operacyjnie. W badaniu histopatologicznym potwierdzono czerniaka szerzącego się powierzchownie w pierwszym stopniu złośliwości według skali Clarka i pierwszym stopniu w skali Breslowa.

Powrót do zdrowia po zabiegu chirurgicznym był powolny, ale przebiegał bez powikłań. Pacjentkę wypisano ze szpitala do domu opieki społecznej.

Zalecono długotrwałą kontrolę w poradni dermatologicznej. Pierwszą wizytę wyznaczono w ciągu 10 dni.

Melanoma

An 82-year-old female was admitted for elective surgery with a suspicion of melanoma on 17 June 2012.

Examination on admission showed the lesion on the left calf, with features characteristic of melanoma. It didn't reveal features indicative of metastases.

Apart from hypertension (177/90 mm Hg), the patient's general health condition was fair for her age.

Past history revealed frequent fractures in her early menopause with well controlled osteoporosis in recent years.

The results of preoperative laboratory tests were normal.

The lesion was removed surgically. Histopathological examination confirmed superficially spreading melanoma (SSM), Breslow's depth I°, Clark level I°.

The postoperative recovery was slow but uneventful. The patient was discharged to the nursing home.

A long-term follow-up was recommended at a dermatology clinic. The first outpatient appointment was scheduled within 10 days.

Zapalenie tkanki łącznej

Pacjentkę w wieku 75 lat przyjęto w dniu 5.05.2012 r. na Oddział Reumatologii Szpitala Specjalistycznego w Łodzi w trybie pilnym w celu diagnostyki w kierunku zapalnych układowych chorób tkanki łącznej.

Przy przyjęciu chora skarżyła się na występujące od sześciu tygodni bóle i obrzęki drobnych stawów rąk, stawów skokowych i w mniejszym stopniu stawów kolanowych z towarzyszącym uczuciem sztywności porannej stawów. Dodatkowo pacjentka zgłaszała nadmierne wypadanie włosów. Od czterech lat leczyła się okulistycznie z powodu zespołu suchego oka.

Na oddziale, po przeprowadzeniu badań, rozpoznano: niezróżnicowaną chorobę tkanki łącznej, nadciśnienie tętnicze, przewlekłe zapalenie oskrzeli, wole guzkowe. Włączono terapię prednizonem w dawce 5 mg/d. Zlecono leczenie usprawniające.

W 14. dniu chorą, u której uzyskano wyraźną poprawę, wypisano ze szpitala. Zalecono dalszą opiekę w przychodni reumatologicznej.

Connective tissue inflammation

A 75-year-old female patient was admitted as an emergency to the Rheumatology Ward of the Specialist Hospital in Lodz for diagnostics of the inflammatory changes of the connective tissue on 5 May 2012.

On admission, she complained of pain and swelling of the small articulations in the upper extremities, ankles and, to a lesser degree, knees, accompanied by morning rigidity of those articulations of 6-week duration. Additionally, the patient reported excessive hair loss. She had been treated ophtalmologically for 4 years for dry eye syndrome.

Following examination and tests performed in the ward, the diagnosis was made: undifferentiated disease of the connective tissue, arterial hypertension, chronic bronchitis, nodular goitre. Treatment with prednison 5 mg/d was instituted. Kinesitherapy was recommended.

On the 14th day of hospitalization the patient was discharged from hospital with a visible improvement in her condition. The patient was followed up at the rheumatology outpatient clinic.

Astma oskrzelowa

W dniu 17.06.2012 r. 23-letniego studenta prawa przyjęto w trybie nagłym na Szpitalny Oddział Ratunkowy Szpitala Miejskiego w Kole. Chory skarżył się na trwające od tygodnia ostre zaburzenia oddechowe. W zebranym wywiadzie uzyskano informacje o przerywanym, nasilającym się świście, duszności i kaszlu poprzedzanym stresem, aktywnością fizyczną i alergenami (pyłki drzew). Objawy wzmagały się w nocy.

Pacjent nie wskazywał innych dolegliwości. We wczesnym dzieciństwie cierpiał na częste ataki astmy, które z upływem czasu zaniknęły. Wywiad rodzinny i informacje o warunkach życia nie wniosły więcej istotnych informacji.

W badaniu zauważono cechy charakterystyczne dla astmy, włącznie ze zmianami kardiologicznymi. Wyniki przeprowadzonych kolejnych badań: pomiaru szczytowego przepływu wydechowego mierzonego regularnie co 4 godziny, RTG klatki piersiowej, spirometrii, potwierdziły rozpoznanie astmy oskrzelowej.

W leczeniu wprowadzono leki rozszerzające oskrzela (leki β-mimetyczne) i środki przeciwzapalne (wziewne kortykosteroidy). Uzyskano natychmiastową reakcję na leczenie.

Chorego poinformowano o konieczności dostosowania trybu życia do stanu zdrowia, m.in. w zakresie pracy, ćwiczeń fizycznych, kontaktu z alergenami, używania środków stymulujących. Przy wypisie ze szpitala pacjentowi przepisano leki rozszerzające oskrzela.

Chorego objęto opieką Przychodni Pulmonologicznej Szpitala Klinicznego w Łodzi przez kilka kolejnych lat. Podczas ostatniej wizyty jego ogólny stan zdrowia był dobry. Wyniki powtórzonych w tym czasie badań diagnostycznych nie wskazywały pogorszenia choroby.

Bronchial asthma

On June 17, 2012, a 23-year-old male, a law student, was admitted as an emergency to the Emergency Department of the Municipal Hospital in Kolo with severe respiratory distress with a duration of one week. The history of intermittent aggravating wheezing, dyspnoea and cough was elicited. Those symptoms occured after stress, physical activity and exposure to allergens (tree pollens) and were more profound at night.

The patient didn't complain of any other disorders. In early childhood he suffered from frequent asthma attacks that subsided with time. Family and social histories were unremarkable.

The physical examination was characteristic of asthma including cardiac changes. Further tests: peak expiratory flow rates (PEFR) measured regularly every 4 hours, CXR and spirometry confirmed the diagnosis of bronchial asthma.

Pharmacological treatment with bronchodilators (β-mimetics) and anti-inflammatory drugs (inhaled cortycosteroids) was introduced. The patient immediately responded to therapy.

The patient was instructed to adjust his lifestyle (including work, exercise, exposure to allergens, and use of stimulants) to his health condition. The patient was discharged home on bronchodilator drugs to control his asthma.

The patient was followed up at the Outpatient Pulmonary Clinic of the Medical University Hospital in Lodz for several years. When last seen, his general condition was good. Repeated diagnostic tests performed at that time showed no exacerbation of the disease.

Pneumocystoza

Pacjent w wieku 31 lat zgłosił się do izby przyjęć ze względu na zaostrzenie długotrwałych problemów oddechowych.

Chory uskarżał się na znaczne zmęczenie, suchy, uporczywy kaszel i wzmożoną potliwość w nocy. W ciągu ostatniego miesiąca jego masa ciała zmniejszyła się o 5 kg.

W wywiadzie nie stwierdzono alergii, uczulenia na leki. Chory był pracownikiem dyskoteki i prowadził nieregularny tryb życia. Pacjent deklarował spożywanie alkoholu w umiarkowanych ilościach. Nie palił tytoniu. Często podróżował do Afryki. Deklarował, że uprawia bezpieczny seks.

Podczas badania zauważono lekką wysypkę na tułowiu, któremu towarzyszyła bolesność węzłów chłonnych.

Zlecono dodatkowe badania. Wyniki wskazywały na obecność hipoksemii. Za pomocą zdjęcia RTG klatki piersiowej i badania plwociny potwierdzono diagnozę pneumocystozy.

Zastosowano trzytygodniową dożylną (*i.v.*) terapię kotrimoksazolem z dodatkiem kortykosteroidów.

W 14. dniu hospitalizacji pacjent opuścił oddział na własne żądanie.

Pneumocystosis

A 31-year-old male presented himself to the casualty and emergency department with exacerbation of chronic dyspnoea.

The patient complained of pronounced fatigue, dry, persistent cough and night sweats. He had lost 5 kg in the previous month.

He had no history of any allergies. His lifestyle was irregular as he worked in a night club. He reported moderate alcohol consumption. The patient denied smoking. He often travelled to Africa. He claimed to practice safe sex.

On examination, mild rash on the trunk was observed, accompanied by painful lymph nodes.

Further examinations were ordered. The results pointed to the presence of hypoxaemia. A chest X-ray image and a sputum sample confirmed pneumocystosis.

A three-week-treatment with cotrimoxasole (i.v.) was initiated, corticosteroids became part of the regime.

On the 14th day after admission the patient discharged himself from hospital AMA.

Niestabilne ciśnienie tętnicze

Chorą w wieku 54 lat z nadciśnieniem tętniczym przyjęto do szpitala z powodu wahań ciśnienia pojawiających się w ciągu ostatniego miesiąca. Przy przyjęciu wartość ciśnienia wynosiła 170/100 mm Hg z towarzyszącymi powtarzającymi się krwawieniami z nosa [w dniu przyjęcia na oddział chorób wewnętrznych założono opatrunek ze środkiem hemostatycznym (Spongostan)].

Ze względu na powracające bóle głowy w okolicy potylicznej wykonano RTG kręgosłupa szyjnego (opis w karcie wypisowej) i przeprowadzono konsultację neurologiczną. W czasie hospitalizacji stosowano ramipryl w dawce 5 mg rano, co nie przyniosło istotnej poprawy. Leczenie rozszerzono o enalapryl w dawce 5 mg rano i wieczorem. Zastosowana modyfikacja pozwoliła na uzyskanie stabilizacji ciśnienia tętniczego.

Omówiono z chorą charakter choroby, zasugerowano modyfikację stylu życia.

Pacjentkę wypisano ze szpitala w czwartej dobie w stanie ogólnym dobrym, z zaleceniem dalszej opieki kardiologicznej.

Unstable blood pressure

A 54-year-old hypertensive female patient was admitted for fluctuations in her blood pressure (BP) which had persisted for one month. On admission the blood pressure was 170/100 mg Hg and was accompanied by nasal bleeding (on the day of the admission to the internal diseases ward spongostan was applied).

Due to recurrent headaches in the occipital area, a cervical X-ray was made (description in the hospital discharge report) and a neurological consultation was performed. While she was hospitalized, the treatment with ramipril was started at a dose of 5 mg every morning, but the patient showed poor response. Additionally, enalapril 5 mg every morning and evening was prescribed. This modification stabilized her blood pressure.

The nature of the disease was discussed with the patient and lifestyle changes were suggested.

On the fourth day, the patient was discharged in good general condition with recommendation of a cardiology follow-up.

Kamica żółciowa

Kobieta w wieku 46 lat, wieloródka, zgłosiła się do izby przyjęć we wczesnoporannych godzinach 26.12.2011 r., uskarżając się na ostry wzmagający się ból w prawej górnej części jamy brzusznej i poniżej prawej łopatki, utrzymujący się od trzech godzin. Towarzyszyły mu nudności i wymioty.

Pacjentka starała się sobie wcześniej pomóc, przyjmując w łóżku różne pozycje i nagrzewając brzuch butelką z gorącą wodą, ale nie uzyskała żadnej poprawy.

Chora wskazywała na podobne, choć o mniejszym natężeniu, ataki w przeszłości. Pozostała część wywiadu nie wniosła istotnych informacji.

U badanej stwierdzono nadwagę, wartość wskaźnika masy ciała (BMI) wynosiła 29. Podczas przyjęcia u pacjentki odnotowano gorączkę (39,2°C). W badaniu jamy brzusznej i badaniu *per rectum* nie wykazano zmian, oprócz tkliwości uciskowej i obrony mięśniowej w prawym nadbrzuszu i pozytywnego objawu Murphy'ego.

Wyniki przeprowadzonych badań dodatkowych, w tym tomografii komputerowej (CT), potwierdziły obecność kamieni żółciowych. Pacjentkę zakwalifikowano do zabiegu laparotomii, którą przeprowadzono w ciągu 24 godzin. Oprócz obniżonej reakcji na środki przeciwbólowe rekonwalescencja przebiegała w sposób typowy.

Gallstones

A 46-year-old multigravida presented to A & E in the early hours of 26.12.2011 with a severe, intensifying pain in the upper-right quadrant of the abdomen and below the right shoulder which had persisted for three hours. It was accompanied by nausea and vomiting.

The patient had tried to seek comfort with bed rest in various positions and hot-water bottle application, but failed to achieve improvement.

The patient mentioned similar, but less severe attacks in the past. No other history of relevance was obtained.

Physical examination revealed that she was overweight with a body mass index (BMI) 29. On admission she was pyretic (39.2°C), the findings of the abdominal examination (including rectal examination) were normal apart from the marked epigastric and upper quadrant tenderness with muscle guarding and a positive Murphy's sign.

Additional tests including computed tomography (CT) confirmed gallstones. The patient was qualified for laparotomy. The operating procedure took place within 24 hours. The recovery was uneventful apart from a poor response to painkillers.

Rak wątrobowokomórkowy

Student z Tajwanu w wieku 34 lat, kawaler, został skierowany przez lekarza podstawowej opieki zdrowotnej (POZ) do przychodni gastrologicznej, a następnie przyjęto go na Oddział Chirurgii Szpitala Wojewódzkiego w Płocku.

Pacjent gorączkował, uskarżał się na ciągły ból brzucha i uczucie pełności częściowo nasilające się po posiłku. Stwierdzono znaczny obrzęk kończyn dolnych. Ostatnio jego masa ciała zmniejszyła się o około 6 kg. W okresie, gdy mieszkał w Azji, leczył się z powodu zakażenia przywrą. Pacjent palił dużo tytoniu i spożywał znaczne ilości alkoholu. Wywiad rodzinny nie wniósł znaczących informacji.

Podczas badania stwierdzono masę zalegającą górną część jamy brzusznej i sięgającą poniżej pępka. Odnotowano słyszalne szmery wątrobowe oraz głuchy odgłos opukowy.

Wykonano dodatkowe badania. W badaniu USG wątroby potwierdzono wyniki badania fizykalnego. Obraz tomografii komputerowej (CT) jamy brzusznej ujawnił guz zajmujący dwa płaty wątroby.

Chorego zakwalifikowano do przeszczepu wątroby. Pacjent zmarł wkrótce po powrocie do rodziny w Azji.

Hepatoma

A 34-year-old single male Taiwanese student was referred by his GP to the gastrointestinal outpatient clinic and admitted to the Surgery Ward of the Regional Hospital in Plock for his symptoms.

He was pyretic and complained of constant abdominal pain and bloating in his stomach partially exacerbated by food. His lower extremities were markedly oedematic. He had lost about 6 kg in weight. His past history revealed an episode of parasitic inflammation (digenea) while living in Asia. He was a heavy smoker and drinker. His family history was noncontributory.

On palpation, a mass in the upper part of the abdomen extending to below the umbilicus was noted. A systolic bruit was heard, dullness to percussion noted.

Additional examinations were performed. Ultrasonography (USG) of the liver confirmed the findings of the physical examination, abdominal computed tomography (CT) showed a tumor which involved both lobes of the liver.

The patient was qualified for liver transplantation. The patient died soon after returning to his family in Asia.

Dna moczanowa

Mężczyznę w wieku 44 lat z nadciśnieniem i łagodną niewydolnością nerek przyjęto na oddział szpitalny z powodu upośledzenia czynnościowego i biegunki.

W tygodniu poprzedzającym wystąpienie tych objawów pacjent zauważył bolesne, miękkie opuchnięcie na bliższym paliczku lewego palucha. Objawy wzmagały się, ból pojawiał się nawet przy lekkim dotknięciu (koc). Nagły, trudny do zniesienia, piekący ból, zaczerwienienie, ciepłota i sztywność stawu towarzyszyły opuchliźnie.

W wywiadzie nie stwierdzono wcześniejszego występowania chorób stawów ani korzystania z leków diuretycznych w ostatnim czasie. Odnotowano, że pacjent jest myśliwym, mieszka samotnie. Przyznał, że spożywa mocne alkohole w znacznych ilościach. Nie palił tytoniu. Jego zwyczaje żywieniowe były niezdrowe, często spożywał posiłki z dużą ilością bardzo tłustego mięsa. Nie stwierdzono alergii lekowej. Wywiad rodzinny nie wniósł znaczących informacji.

W badaniu RTG wykazano lekkie zanikanie rozpływne kości proksymalnego paliczka lewego palucha. W pobranym ze stawu materiale stwierdzono liczne kryształki kwasu moczowego. W tomografii komputerowej jamy brzusznej nie wykazano obecności kamieni kwasu moczowego. Znacznie podwyższone stężenie kwasu moczowego w surowicy krwi (624 μmol/l) przypisano przewlekłej niewydolności nerek i nieleczonej nadczynności tarczycy. Jako przyczynę zniszczenia kości wskazano dnę moczanową.

Wprowadzono leczenie allopurynolem i kolchicyną. Pacjenta skierowano do ortopedy, który wykonał tymczasowe giętkie usztywnienie stawu proksymalnego paliczka i kości śródstopia.

U chorego w momencie wypisu ze szpitala nie występowały dalsze powikłania. Pacjent pozostawał pod opieką poradni przyszpitalnej przez kilka miesięcy, aż do chwili, kiedy przestał stawiać się na badania kontrolne.

Gout

A 44-year-old man with hypertension and mild renal failure was admitted for functional impairment and diarrhoea.

A week prior to present manifestations, the patient observed a tender, soft swelling of the proximal phalanx of the left big toe. The symptom intensified, being sensitive even to a light touch (blanket). A sudden, burning pain, redness, warmness and stiffness of the joint accompanied the swelling.

There was no past history of joint disease or any recent use of diuretics.

The patient reported being a hunter. He lived alone. The patient was a heavy drinker, he admitted drinking strong alcohol in large quantities. He denied smoking. His dietary habits were not healthy, they included frequent fat-loaded, meat-rich meals. There was no history of drug allergies. His family history was noncontributory.

Plain radiography demonstrated slight osteolysis of the proximal phalanx of the left big toe. Numerous urate crystals were identified in the liquid aspirated from the affected articulation. Abdominal computed tomography did not show any uric acid stones. Markedly elevated levels of serum uric acid (624 μmol/L) were attributed to chronic renal failure and untreated hypothyroidism. The bone destruction was attributed to gout.

Treatment with allopurinol and colchicine was initiated, and the patient was referred to an orthopedist, who performed a temporal flexible arthrodesis of the proximal phalanx and metatarsal bones.

The patient was discharged without further complications and was followed up for several months in the outpatient clinic until he stopped coming to follow-up examinations.

Krwotok podpajęczynówkowy

Chorą w wieku 45 lat, podsypiającą, przywieziono karetką do szpitala po incydencie silnego bólu głowy, po którym nastąpiła utrata przytomności, a następnie uporczywe nudności i wymioty. Kontakt słowny z pacjentką był utrudniony.

Według relacji rodziny w dniu poprzedzającym hospitalizację w godzinach wieczornych pacjentka czuła się bardzo źle z powodu nawracających dolegliwości bólowych głowy w okolicy potylicznej. Nieregularnie leczyła się z powodu nadciśnienia tętniczego.

Podczas badania wstępnego tętno wynosiło 80/min, a ciśnienie 175/100 mm Hg. Źrenice były wąskie, występowała obustronna reakcja na światło. Sztywność karku oceniono na cztery palce.

Wstępnie rozpoznano krwotok podpajęczynówkowy, co potwierdzono w badaniu tomografii komputerowej (CT) mózgu, a następnie wykonano tomografię w sekwencji naczyniowej, w wyniku której stwierdzono obecność workowatego tętniaka na tętnicy łączącej przedniej.

Chorą zakwalifikowano do leczenia neurochirurgicznego. Za pomocą kraniotomii czołowo-skroniowej prawostronnej wypreparowano i zaklipsowano tętniaka.

Po zabiegu pacjentka była przytomna, nawiązywała kontakt logiczny, nie odnotowano ubytków neurologicznych.

Subarachnoid aneurysm

A 45-year-old female somnolent patient was brought by ambulance to casualty and emergency of the hospital after the incidence of severe headache followed by loss of consciousness, persistent nausea and vomiting. Verbal communication with the patient was impaired.

According to the patient's family in the evening hours of the day prior to admission, the patient had been feeling very bad, due to recurrent headaches in the occipital region. The patient was irregularly treated for arterial hypertension.

On initial examination, the pulse was 80/min, blood pressure (BP) 175/100 mm Hg. The pupils were narrowed, a bilateral light reflex was present and nauchal rigidity was recorded.

The presumptive diagnosis of subarachnoid aneurysm was established, it was confirmed by cerebral computed-tomography (CT). Angio-CT disclosed sacular aneurysym of the communicating anterior artery.

The patient was qualified for neurosurgical treatment. The right fronto-temporal approach was performed, the aneurysym was dissected and clipped.

After the surgical procedure the patient was conscious and able to communicate logically. No neurologic defects were noted.

Niedokrwienny udar mózgu

Pacjenta w wieku 67 lat, przytomnego, bez kontaktu słownego, przywieziono karetką do izby przyjęć szpitala klinicznego.

Według relacji rodziny dwie godziny przed przyjęciem pacjent był niespokojny, jego mowa stała się niewyraźna, a następnie przestał całkowicie mówić. Jednocześnie zauważono bezwład prawych kończyn.

Podczas badania wstępnego oceniono, że wartość tętna i ciśnienia były w normie, źrenice wąskie, obustronnie reagowały na światło. Zauważono afazję czuciowo-ruchową i plegię kończyn prawych. Zanotowano dodatni objaw Babińskiego po prawej stronie.

Wstępne rozpoznano niedokrwienny udar mózgu, co potwierdzono za pomocą tomografii komputerowej (CT) mózgu.

Ze względu na to, że pacjent mieścił się w terapeutycznym oknie czasowym i nie stwierdzono przeciwwskazań ogólnych, przeniesiono go na oddział neurologii, gdzie zastosowano dożylne leczenie tkankowym aktywatorem plazminogenu (RTPA).

Uzyskano odpowiedź na leczenie, ustąpiła plegia, pojawił się niedowład prawostronny 3/5. Chory zaczął wypowiadać proste zdania.

Cerebral stroke ischemia

A 67-year-old male patient, conscious but without verbal contact, was brought by ambulance to casualty and emergency of the university hospital.

According to the patient's family, two hours prior to admission he had been restless, his speech had become slurred, and then he stopped talking at all. At the same time paralysis of the right limbs had been observed.

On preliminary examination prior to admission, pulse and blood pressure (BP) were within normal limits, both pupils were narrowed with bilateral light reflexes. Sensomotoric aphasia and right extremities plegia were observed, positive Babinski's sign was noted on the right side.

The presumptive diagnosis of cerebral ischemic stroke was established, confirmed by cerebral computed tomography (CT) scans.

As the patient remained in the therapeutic time window and no general contraindications were noted, he was moved to the neurology department, where recombinant tissue plasminogen activator (RTPA IV) treatment was instituted.

The patient responded well to the therapy, the paralysis subsided, 3/5 right side paresis appeared. The patient started uttering simple sentences.

Jaskra

Wietnamka w wieku 69 lat zgłosiła się do izby przyjęć z powodu ostrego, silnego bólu prawego oka trwającego od kilku godzin.

W wywiadzie stwierdzono, że nagły ból w prawym oku pojawił się po opuszczeniu centrum handlowego, w którym pacjentka spędziła cały dzień. Dodatkowo wystąpiło wrażenie widzenia rozmazanego, tęczowe koła. Z upływem czasu objawy nasilały się, oko było w stanie zapalnym, wystąpił ból głowy i nudności.

Zarówno wywiad dotyczący przebytych chorób, jak i wywiad rodzinny nie wniosły znaczących informacji. Pacjentka nie zgłaszała problemów okulistycznych, okularów używała tylko do czytania.

Wyniki badania okulistycznego (oględzin oka, pomiaru ciśnienia śródgałkowego, gonioskopii) wskazywały na ostrą jaskrę z zamkniętym kątem przesączania. Zastosowano premedykację środkami obkurczającymi źrenicę zakrapianymi miejscowo, obniżono ciśnienie śródgałkowe oraz podano środki przeciwbólowe. W ciągu 24 godzin od pojawienia się objawów wykonano laserową irydotomię.

Zabieg operacyjny i rekonwalescencja przebiegały bez powikłań, chorą wypisano ze szpitala po tygodniu. Przebywała pod opieką poradni przez rok, aż do śmierci.

Glaucoma

A 69-year-old Vietnamese woman presented to A & E with an acute and severe pain in her right eye which had persisted for several hours.

The patient reported that she had experienced a sudden attack of pain in her right eye accompanied by "fuzzy, hazy" vision while leaving the shopping mall after a day-long shopping. With the passing of time, symptoms aggravated, the eye became inflamed, headache and nausea were present.

Past medical and family history didn't reveal anything specific, the patient had no eye problems, and wore glasses for reading only.

The ophthalmologic examination on admission (eye inspection, intraoccular pressure, gonioscopy) were suggestive of acute close angle glaucoma. The premedication with miotics *instilled locally, reduction of intraocular pressure and adequate analgesia took place, followed by laser iridectomy performed within 24 hours of symptom onset.*

The operation and recovery were uneventful, the patient was discharged home a week later. She was followed up at the outpatient clinic for a year, until her death.

Krwawienia z nosa (*epistaxis*)

Pacjenta w wieku 16 lat przyjęto na oddział otolaryngologiczny z powodu utrzymującego się od kilku godzin krwawienia z nosa.

W wywiadzie chory wskazywał na nawracające krwawienia z nosa. Nie wystąpił u niego uraz nosa ani infekcje dróg oddechowych.

W badaniu otorynolaryngologicznym (ORL) stwierdzono aktywne krwawienie z prawego przewodu nosowego oraz poszerzenie naczyń w miejscu typowym, na błonie śluzowej przegrody nosa. Odnotowano podwyższone ciśnienie tętnicze (160/100 mm Hg) oraz nieprawidłowości w obrazie czerwonokrwinkowym krwi (anemia).

Założono opatrunek ze środkiem hemostatycznym (Spongostan) oraz podano leki obniżające ciśnienie krwi.

W trakcie hospitalizacji uzyskano poprawę stanu klinicznego. Pacjenta w dobrym stanie ogólnym wypisano ze szpitala z zaleceniami jak niżej (...).

Epistaxis

A 16-year-old male patient was admitted to the ENT ward with a nosebleed of several hours' duration.

The patient reported recurrent episodes of nosebleeding and said he hadn't experienced nasal trauma or infections of the upper respiratory tract.

In ENT examination active epistaxis from the right nasal passage and vasodilation in the mucous membrane of the nasal septum were observed. His blood pressure (BP) was elevated (160/100 mm Hg), abnormalities in haematologyt picture were recorded (anaemia).

Spongostan dressing was applied, drugs to reduce BP were administered.

During hospitalization, the clinical condition of the patient improved. The child was discharged home in generally good condition with recommendations as below (...).

Zapalenie ucha środkowego

Sześcioletnią dziewczynkę przyjęto na oddział otolaryngologiczny w trybie pilnym z powodu wysokiej gorączki przekraczającej 39°C, pogorszenia stanu ogólnego i ostrego bólu w prawym uchu.

W wywiadzie ustalono, że ból trwał od trzech dni. Zaobserwowano lekki niedosłuch po prawej stronie.

W badaniu laryngologicznym stwierdzono uwypuklenie błony bębenkowej ucha prawego oraz tkliwość w okolicy wyrostka sutkowatego po prawej stronie. Dziewczynkę zakwalifikowano do zabiegu operacyjnego w znieczuleniu ogólnym. W dniu 5.05.2012 r. wykonano myringoplastykę. Zabieg i okres pooperacyjny przebiegły bez powikłań. Włączono terapię antybiotykową i leki przeciwzapalne.

W trakcie hospitalizacji uzyskano poprawę stanu dziecka. Dziewczynkę wypisano ze szpitala w stanie ogólnym dobrym. Zalecono dalszą opiekę laryngologiczną w poradni otolaryngologicznej.

Otitis media

A 6-year-old female patient was admitted to the department of otolaryngology as an emergency with high fever (over 39°C), deterioration of her general condition and an acute pain in the right ear of a three-day duration. A mild loss of hearing in the right ear was observed.

In ENT examination tympanic membrane projection and tenderness in the area of the right mastoid process were observed.

The girl was qualified for an operative treatment under general anaesthesia. Myringotomy was performed on 5 May 2012. The operation and post-operative time were uneventful. Antibiotic therapy and anti-inflammatory drugs were instituted.

The patient responded well to therapy, her general health condition improved. She was discharged home in good general condition. Follow-up at the ENT outpatient clinic was recommended.

Cukrzyca ciężarnych

Pacjentka w wieku 27 lat w 33. tygodniu ciąży (*gravida* 2, *para* 1, *abortus* 0) zgłosiła się do poradni ginekologiczno-położniczej na rutynową kontrolę.

Chora uskarżała się na ciągłe zmęczenie, częste oddawanie moczu, wzmożony głód i pragnienie oraz wzmagający się ból w dolnej części pleców.

Poprzednia ciąża przebiegała bez powikłań, poród nastąpił o czasie siłami natury, masa urodzeniowa dziecka wynosiła 4,1 kg.

Badanie ukazało płód mierzący 35 cm. Pacjentka miała znacznie opuchnięte nogi w stawach skokowych. Stężenie glukozy we krwi na czczo oznaczone w 28. tygodniu ciąży wynosiło 160 mg/dl.

Stężenie glukozy uzyskane w dniu wizyty kontrolnej wynosiło na czczo 120 mg/dl, wartość glikemii poposiłkowej – 190 mg/dl. Wyniki pozostałych testów prenatalnych były prawidłowe. Nie wystąpiły żadne skurcze ani utrata wód. W badaniu USG płód był większy niż sugerował wiek ciążowy, szacowana masa ciała płodu wynosiła 4,5 kg.

Ze względu na niesatysfakcjonującą kontrolę cukrzycy ciążowej, preeklampsję i makrosomię pacjentkę hospitalizowano.

Gestational diabetes

A 27-year-old G2P1A0 woman at 33 weeks' gestation presented to the obstetrics and gynecology outpatient clinic for a routine health check-up.

The patient complained of fatigue, polyuria, polyphagia, polydipsia and an increasing lower back pain.

Her previous pregnancy had been without complications. A child weighing 4.1 kg was delivered by spontaneous labour at term.

Physical examination revealed a fundal height of 35 cm. The lower extremities showed marked oedema of the ankles. A glucose test, fasting blood sugar (FBS), at 28 weeks' gestation showed a blood glucose level of 160 mg/dL.

At the check-up visit glucose levels ranged from 120 mg/dL for fasting plasma glucose to 190 mg/dL for post-meal glucose. The results of other prenatal tests were reassuring. No contractions or loss of fluid occurred. USG examination revealed a fetus that was large for gestational age with an estimated fetal weight of 4.5 kg.

The patient was hospitalized due to poor gestational diabetes control, preeclampsia and macrosomia.

Ciąża pozamaciczna

Pacjentkę w wieku 28 lat przywieziono do izby przyjęć z powodu bólu w dolnej części brzucha, niewielkiego krwawienia z dróg rodnych, uczucia osłabienia.

Z wywiadu wynikało, że od ponad dwóch miesięcy nie miała menstruacji, skarżyła się na ból podczas mikcji i defekacji.

W badaniu wstępnym stwierdzono tętno 120/min, ciśnienie 80/40 mm Hg oraz tkliwość uciskową prawego podbrzusza. Wykonano test ciążowy, określono stężenie gonadotropiny kosmówkowej (β-hCG). Przeprowadzone badania wskazywały na obecność ciąży.

Wykonano dopochwowe USG, które nie ujawniło obecności zarodka w jamie macicy.

Rozpoznano ciążę pozamaciczną. Chorą przygotowano do laparotomii w celu usunięcia ektopowo położonej ciąży i zatamowania krwawienia.

Extrauterine (ectopic) pregnancy

A 28-year-old female was admitted to Accident and Emergency for pain in the lower abdomen, mild vaginal bleeding and fatigue.

The patient reported having had no menstruation for over two months and she complained of pain while urinating and defecating.

On initial examination, the pulse was 120/min, blood pressure (BP) 80/40 mmHg. Tenderness in the right hypogastrium was noted. A pregnancy test and β-human chorionic gonadotropin (β-hCG) test were performed. The results suggested pregnancy.

Transvaginal USG did not show the presence of a fetus in the uterus. The ectopic pregnancy was diagnosed. The patient was prepared for a laparotomy in order to terminate the extrauterine pregnancy and arrest the bleeding.

Odra

Pacjentkę w wieku 16 lat przyjęto na oddział zakaźny szpitala pediatrycznego z rozpoznaniem odry.

Przy przyjęciu u chorej występowały typowe objawy odry wraz rozległą wysypką i zapaleniem spojówek w obu gałkach ocznych. Uskarżała się na przedłużającą się, trwającą tydzień, wysoką gorączkę (do 40,5°C).

W wywiadzie rodzinnym matka chorej wskazała na ciężkie, ostre zapalenie mózgu, które wystąpiło u starszego brata jako powikłanie po odrze. Pacjentkę zaklasyfikowano do grupy wysokiego ryzyka ze względu na niewłaściwie prowadzoną cukrzycę i ostatnio odbytą podróż do obszaru endemicznego (miesięczna wizyta u ojca Afrykańczyka).

Zastosowano leczenie objawowe. Pacjentkę wypisano ze szpitala w 10. dobie po przyjęciu, w dobrym ogólnym stanie zdrowia.

Measles (rubeola, morbilli)

A 16-year-old female patient was admitted to the infectious unit of the pediatric hospital with a diagnosis of measles.

On admission, the patient showed typical manifestations of measles, including an extensive rash and severe conjunctivitis in both eyes. She complained of prolonged pyrexia (up to 40.5°C) which had persisted for a week.

Patient's mother reported family history of measles complication in the form of severe, acute encephalitis in the patient's older brother. The patient was classified as high risk due to her insufficiently controlled diabetes and recent trip to an endemic area (a one-month visit to her African father).

Symptomatic treatment was administered. The patient was discharged home on the 10th day after admission in good general condition.

Półpasiec (*zoster*)

Pacjent w wieku 24 lat zgłosił się do izby przyjęć szpitala zakaźnego z powodu występujących od około 7 dni bardzo silnych dolegliwości bólowych prawej połowy klatki piersiowej, lokalizujących się głównie pod łopatką i pod pachą. Bólowi towarzyszyło uczucie ogólnego osłabienia i stany podgorączkowe.

W dniu przyjęcia, w godzinach porannych, w rzucie żebra szóstego po prawej stronie stwierdzono obecność licznych wykwitów skórnych, przyjmujących postać pęcherzyków, wypełnionych treścią surowiczą. Na podstawie wstępnych oględzin i wywiadu rozpoznano półpasiec.

Ze względu na bardzo ostry obraz chorobowy pacjenta poddano hospitalizacji. Zaordynowano acyklowir w dawce 800 mg co pięć godzin doustnie oraz tramadol i metamizol w 250 ml 0,9-procentowego roztworu NaCl dożylnie trzy razy na dobę.

Uzyskano odpowiedź na leczenie, chorego wypisano ze szpitala w piątej dobie z zaleceniem kontynuacji leczenia przeciwbólowego z zastosowaniem tramadolu, metamizolu doustnie w dawce (zob. załącznik). Na zmiany skórne zlecono stosowanie acyklowiru w maści.

Herpes zoster (shingles)

A 24-year-old male patient presented to casualty and emergency of the infectious diseases hospital complaining of extremely severe pain of the right hemithorax of seven-day duration. The pain was localized mainly under the scapula and below the axilla. The pain was accompanied by general malaise and a low grade fever.

In the morning of the day of admission, in the projection of the sixth rib, numerous cutaneous eruptions in the form of vesicles were observed. Based on medical history and visual inspection the diagnosis of herpes zoster was made.

The severity of the clinical picture called for hospitalization of the patient. Immediate pharmacotherapy was intiated with acyclovir 800 mg per os (p.o.) 5 times a day for five days and tramadol and metamizole in 250 ml sodium solution (0.9% NaCl) administered intravenously three times a day.

The patient responded well to therapy and was discharged from hospital on the fifth day with recommendation to continue the analgesic treatment with tramadol and metamizole orally (see attachment). For the skin lesions, the application of acyclovir in ointment was suggested.

Wypalenie zawodowe

Kobietę w wieku 40 lat (pracującą jako nauczyciel akademicki) przyjęto do Kliniki Psychiatrycznej Uniwersyteckiego Szpitala Klinicznego w Warszawie ze względu na niemożność radzenia sobie z licznymi problemami zawodowymi.

W wywiadzie odnotowano, że pacjentka wiedzie szczęśliwe życie prywatne, jest mężatką z dwojgiem dzieci, ale przytłaczają ją problemy zawodowe. Według informacji uzyskanych od chorej i jej rodziny przez 15 lat udanej pracy zawodowej regularnie ją awansowano i nagradzano za zaangażowanie. Kiedy nastąpiły zmiany administracyjne, systematycznie i bez uprzedzenia zaczęto przesuwać ją do innego rodzaju pracy. W związku z procesem prywatyzacji redukowano liczbę personelu, zwiększając obciążenie pracą pozostałych pracowników. Chcąc spełnić oczekiwania przełożonej i uniknąć zwolnienia, pacjentka zaczęła pracować znacznie więcej. Pomimo doświadczenia i ogromnego zaangażowania stawała w obliczu ciągłej groźby degradacji.

Rodzina chorej informowała o fizycznym wyczerpaniu, niepokoju, drażliwości, częstej bezsenności i powtarzających się epizodach biegunki w godzinach poprzedzających wyjście do pracy. Zaobserwowano drastyczne zmiany w podejściu pacjentki do pracy: dla samoochrony zaczęła stosować techniki emocjonalnego odcięcia się. Wystąpiły u niej objawy smutku, deprecjacji, braku odczuwania przyjemności z codziennego życia i chęć śmierci. Zanotowano zmniejszenie masy ciała [20 kg w ciągu roku, wartość wskaźnika masy ciała (BMI) wynosiła 16]. Na prośbę rodziny chora zdecydowała się zaprzestać pracy i rozpocząć leczenie. Dotychczas nie leczyła się psychiatrycznie, wywiad rodzinny w tym kierunku był negatywny.

Zdiagnozowano wypalenie zawodowe i skierowano pacjentkę do specjalistycznej, prywatnej kliniki na sześciomiesięczne leczenie. Uzyskano dobrą odpowiedź na kompleksową terapię farmakologiczną (szczegóły poniżej). Zanotowano znaczne zmniejszenie objawów niepokoju i bezsenności, częściową redukcję innych objawów depresji. U pacjentki nie pojawiają się myśli samobójcze.

Professional burnout

A 40-year-old female university teacher presented to the Psychiatric Unit of the Medical University Hospital of Warsaw with numerous professional problems that she was not able to cope with.

Her history revealed that her personal life was successful, she was married and had two children, but was overwhelmed by problems at work. She had been happily employed for 15 years, being systematically promoted, receiving awards for her devotion to work. Then administrative changes took place. She was systematically transferred to different kinds of work, without previous consultations. Her work load increased due to staff reductions. In order to fulfill the supervisor's expectations and under threat of losing her job in the process of privatization, she started working much more.

Her family reported physical exhaustion, anxiety, irritability, repetitive episodes of insomnia. Despite her experience and hard work demotions were a constant threat. A drastic change in the approach to work was observed in the patient: for self-protection, emotional avoidance techniques were implemented. The patient expressed deep sadness, lack of pleasure in activities, feeling of personal devaluation and desire to die. She lost weight (20 kg in a year), her body mass index (BMI) was 16. On family request, she stopped working and decided to start medical treatment. Past and family history were non-contributory.

The history was suggestive of professional burnout and the patient was referred to a specialized private institute for a 6-month treatment. The patient responded well to complex pharmacological treatment (details below). Major improvements in anxiety and insomnia were reported, as well as partial improvement in depressive symptoms. The patient did not manifest suicidal thoughts.

Zapalenie wyrostka robaczkowego

Chłopca w wieku 14 lat do szpitala przywieźli rodzice. Pacjent cierpiał z powodu silnego bólu prawego podbrzusza. Od wczesnych godzin porannych utrzymywała się u niego wysoka gorączka, chory nie oddawał stolca w ciągu ostatniej doby.

W badaniu wstępnym stwierdzono przyśpieszone tętno i prawidłowe ciśnienie krwi. Perystaltyka jelit była niesłyszalna. W badaniu fizykalnym brzucha wykazano bardzo wyraźną tkliwość w prawym punkcie MacBurneya. Ulgę w dolegliwościach przynosiło ułożenie ciała z podkurczeniem kończyn dolnych i zgięciem kręgosłupa.

Wyniki rutynowych badań laboratoryjnych krwi mieściły się w normie, wyjątkiem była leukocytoza – 16 000/μl. W badaniu USG jamy brzusznej wykazano obecność wolnego płynu w jamie otrzewnowej.

Na podstawie badania klinicznego postawiono diagnozę zapalenia wyrostka robaczkowego. Chorego zakwalifikowano do operacji. Po wykonaniu nacięcia MacBurneya odsączono płyn z jamy otrzewnowej, wycięto zapalnie zmieniony wyrostek. Z powodu niewielkich cech zapalenia otrzewnej wdrożono antybiotykoterapię cefuroksymem w dawce 1 g/12 godzin dożylnie wraz z metronidazolem w dawce 1 g/12 godzin.

Uzyskano odpowiedź na leczenie. Pooperacyjny powrót do zdrowia był zadawalający. Chorego wypisano ze szpitala w piątej dobie po zabiegu, w dobrym stanie zdrowia bez objawów otrzewnowych. Rana goiła się prawidłowo. Pacjent zgłosił się w ósmej dobie po operacji do poradni chirurgicznej w celu usunięcia szwów z rany pooperacyjnej. Zalecono unikanie wysiłku fizycznego przez najbliższe trzy miesiące.

Appendicitis

A 14-year-old boy was brought by his parents to the hospital with a severe pain in his right lower abdomen quadrant. High fever had been present since the early morning hours, there had been no bowel movement (BM) for 24 hours.

On preliminary examination, the pulse rate was accelerated while the blood pressure (BP) was within normal limits, peristalsis was inaudible. Abdominal examination revealed severe right lower quadrant tenderness, MacBurney and Blumberg signs were positive. The patient felt relief while in a horizontal bending position.

All routine laboratory blood tests were within the normal range apart from white blood cell (WBC) level of 16 000/L. An abdominal ultrasound examination revealed some fluid in the peritoneal cavity.

The diagnosis of acute appendicitis was made based on clinical findings. The patient underwent surgery. A MacBurney incision was performed, a little amount of peritoneal fluid was yielded and the inflamed vermiform appendix was removed. As slight features of peritonitis were observed, antibiotic therapy with biofuroxyn 1 g/12 intravenous (i.v.) and metronidazol 1 g/12 h was initiated.

The patient responded well to therapy, the postoperative recovery was satisfactory. The patient was discharged from hospital on the fifth day after admission in a good physical condition, without peritoneal symptoms. The wound healed satisfactorily. The patient was asked to return to the surgical outpatient's clinic on the eighth day for suture removal. The patient was advised to refrain from physical effort for three months.

Ciężkie obrażenia

Rowerzystę w wieku 14 lat, ofiarę wypadku drogowego, do szpitala powiatowego przywieziono karetką pogotowia ratunkowego. W momencie przybycia na oddział ratunkowy pacjent był świadomy i oddychał samodzielnie.

Po 15 minutach od przyjęcia przeprowadzono u chorego badanie, w którym wykazano pogorszenie stanu ogólnego, wskazując na ciężkie uszkodzenie mózgu (pięć punktów w skali Glasgow Coma Scale – GSC5), dwukrotne złamanie żuchwy, stłuczenie prawego płuca, uraz śledziony pierwszego stopnia, złamanie prawego obojczyka, prawej kości promieniowej i strzałki.

Szpital nie spełniał wymogów centrum urazowego, dlatego leczenie prowadzono we współpracy ze specjalistami z innych ośrodków.

Podczas pobytu na oddziale intensywnej terapii neurologicznej chorego poddano licznym zabiegom neurochirurgicznym. Zastosowano wspomaganie oddechu za pomocą respiratora przez 15 dni. Pojawiły się powikłania niewydolności oddechowej, bakteryjne zapalenie mózgu i ostra sepsa pochodzenia szpitalnego.

Podczas wypisu ze szpitala, po 69 dniach, pacjent był świadomy i nawiązywał kontakt. Występowała u niego afazja czuciowa i połowiczny niedowład prawych kończyn.

Skierowano go do neurologicznego centrum rehabilitacyjnego.

Major injuries

A 14-year-old male cyclist, a road accident victim, was brought by ambulance to the regional hospital. On arrival in the casualty department, he was conscious and was breathing spontaneously.

On examination, taken 15 minutes after the arrival, deterioration of the patient's general health condition was observed. A severe traumatic brain injury (5 pts on the Glasgow Coma Scale – GSC5), a double fracture of the mandible, a right pulmonary contusion, a grade I° spleen injury, a fracture of the right clavicle and the right radius and ulna were noted.

As the hospital did not fulfil the requirements of a trauma center, the patient was managed in cooperation with various specialists from other hospitals.

During the Neurointensive Care Unit hospitalization, the patient was submitted to multiple neurosurgical interventions. He was mechanically ventilated for 15 days. Complications set in: acute respiratory distress syndrome, bacterial meningitis and severe sepsis with hospital-acquired microorganisms. During the stay in ICU, after an alternating but eventually positive evolution, rehabilitation therapy was instituted.

At discharge, after a length of stay (LOS) of 69 days, the patient was alert and awake with sensory aphasia and right hemiparesis.

He was referred to a neurologic rehabilitation clinic.

Drobne obrażenia

Siedmioletniego chłopca przyjęto do izby przyjęć szpitala klinicznego z powodu licznych obrażeń doznanych podczas zabawy z rówieśnikami.

W badaniu fizykalnym pacjenta odnotowano znaczące uszkodzenia skóry, zadrapania, otarcia na kończynach górnych oraz dolnych i na twarzy oraz dwucentymetrową krwawiącą ranę szarpaną lewego ucha. Nie stwierdzono uszkodzeń w obrębie układów.

Założono trzy szwy na ranę ucha, zadrapania zdezynfekowano, podano środki przeciwbólowe. Zastosowano profilaktykę przeciwtężcową.

Minor injuries

A 7-year-old boy was admitted to the accident and emergency department of the university hospital with numerous injuries which occurred while he was playing with his mates.

Physical examination revealed profound lacerations, scratches and abrasions on the patient's upper and lower extremities and his face with a two-centimeter bleeding laceration of the left ear. Nothing abnormal was detected on systemic examination.

Three stitches were applied to the ear, the scratches were disinfected, painkillers instituted. An anti-tetanus prophylaxis was performed.

Zatrzymanie akcji serca

Do szpitala przywieziono karetką 58-letnigo nieprzytomnego pacjenta.

Przed utratą przytomności chory uskarżał się na silne bóle w klatce piersiowej promieniujące do lewej łopatki.

U mężczyzny odnotowano znaczną otyłość [wartość wskaźnika masy ciała (BMI) – 29], objawy sinicy i duszność. Podczas przyjęcia na oddział ratunkowy tętno było niewyczuwalne, tony serca niesłyszalne. Obie źrenice były całkowicie rozszerzone, stwierdzono obustronną reakcję na światło.

Wstępnie rozpoznano zatrzymanie akcji serca.

Natychmiast podjęto reanimację: uderzenie w okolicę serca, masaż zewnętrzny serca, 60 ucisków na minutę, intubacja, oddech wspomagany czystym tlenem (O_2), monitorowanie stanu pacjenta z zastosowaniem EKG, założenie dwóch dożylnych kaniuli, wlew dożylny z soli fizjologicznej, dożylne wstrzyknięcie 100 ml 8,4% wodorowęglanów, defibrylacja ładunkiem 200 J.

Uzyskano dobrą odpowiedź na terapię, chory odzyskał świadomość.

Cardiac arrest

A 58-year-old unconscious male patient was brought by ambulance to the casualty and emergency department of the hospital. Prior to losing consciousness the patient complained of severe thoracic pain radiating to the left shoulder.

The patient was overweight [body mass index (BMI) – 29], cyanosed and gasping for air. On admission to the Casualty Department, his pulse was impalpable, the heart sound inaudible. Both pupils were fully dilated and light reflex present bilaterally.

The presumptive diagnosis of cardiac arrest was established.

Resuscitation was initiated promptly.

First, a blow to precordium was delivered, then an external cardiac massage of 60 compressions/minute was performed. The endotracheal intubation and intermittent positive pressure ventilation with oxygen (O₂) were applied. The constant ECG monitoring was provided. After the insertion of two intravenous cannulae,the intravenous infusion of normal saline and intravenous bolus of 100 ml of 8.4% bicarbonate were administered. Finaly, defibrillation with 200 J shock was delivered.

The patient responded well to therapy and regained consciousness.

Rak gruczołu sutkowego

Pacjentkę w wieku 58 lat (dotychczas zdrową, nieródkę) przyjęto do szpitala z powodu wykrycia bezbolesnego guzka podczas samokontroli piersi.

Podczas badania palpacyjnego zauważono ruchomy guzek wielkości groszku, umiejscowiony bocznie, powyżej lewej brodawki sutkowej. Lewa brodawka była nieznacznie wciągnięta, a kolor i struktura skóry zmieniono. Węzły chłonne w lewym dole pachowym były widocznie powiększone. Ogólny stan zdrowia pacjentki był dobry. Pierwsza miesiączka wystąpiła u chorej w 10. rż., ostatnia w 56. rż. Pacjentka przyjmowała doustne środki antykoncepcyjne przez 42 lata, do czasu ostatniej miesiączki. Sporadycznie paliła, przez ostatnie pięć lat nadużywała alkoholu.

Wywiad dotyczący przebytych chorób nie wniósł znaczących informacji. W wywiadzie rodzinnym odnotowano raka płuca u ojca chorej, matka natomiast zmarła na raka piersi w wieku 62 lat, u młodszej siostry zdiagnozowano czerniaka.

W celu potwierdzenia rozpoznania wstępnego – raka gruczołu sutkowego – chorą skierowano na mammografię i biopsję.

W wynikach badań przeprowadzonych dwa tygodnie później odnotowano: „mammografia lewej piersi ukazała gęstą, zbitą masę w tkance tłuszczowej"; wynik przezskórnej, cienkoigłowej biopsji potwierdził wstępne rozpoznanie.

Przeprowadzono mastektomię z usunięciem pachowych węzłów chłonnych. W badaniu histopatologicznym wykazano raka naciekającego o średnicy 1,5 cm, bez przerzutów do węzłów chłonnych.

Leczenie pooperacyjne obejmowało podawanie tamoksyfenu (10 mg dziennie) i radioterapię klatki piersiowej. Wyniki wykonanych trzy tygodnie po zabiegu testów hormonalnych mieściły się w normie.

Obecnie stan ogólny pacjentki jest dobry i klinicznie uznaje się ją za wyleczoną. Rozważa się zabieg rekonstrukcji piersi.

Breast cancer

A 58-year-old, previously healthy woman, nulligravida, was admitted with a painless lump detected during breast self-examination.

On palpation, a movable, pea-size mass lateral and cranial to the left nipple was detected. The patient's left nipple was slightly pulled in, the colour and texture of the skin was changed. The left axillary lymph node was visibly enlarged. The patient's general health was good. Her menarche took place at 10, last menstruation at 56. She was on oral contraception for 42 years, until her menopause. She admitted to occasional smoking and drinking "over the limit" for the last 5 years.

Her past history was unremarkable. Family history showed lung cancer in her father. Her mother died of breast cancer at the age of 62. Her younger sister was diagnosed with malignant melanoma.

Presumptive diagnosis of breast cancer was established. A biopsy and a mammography were ordered to confirm the diagnosis.

The results of examinations performed two weeks later were as follows: "The mammography examination of the left breast revealed a dense mass in fatty tissue"; the fine-needle aspiration biopsy confirmed the initial diagnosis.

A mastectomy with axillary lymph node excision was performed. The histological examination showed invasive carcinoma of a 1.5 cm in diameter without lymphatic emboli.

The post-operative treatment included tamoxifen and a course of thoracic radiotherapy. Three weeks later, all hormon levels were normal.

At present, the patient remains in good clinical condition and clinically free of tumor. The breast reconstruction surgery is being considered.

Rozdział 7

W aptece
In a pharmacy

Leki
Drugs

Lek – drogi podawania		*Drug – routes of administration*	
Polish		English	
jelitowy/dojelitowy		*enteral*	
doustny		*oral*	
podjęzykowy		*sublingual*	
doodbytniczy		*rectal*	
pozajelitowy		*parenteral*	
zastrzyk (iniekcja)	podskórny	*injection*	*subcutaneous*
	dożylny		*intravenous*
	domięśniowy		*intramuscular*
	śródskórny		*intradermal*
	dooponowy		*intrathecal*
	dostawowy		*intra-articular*
miejscowy	dopochwowy	*topical*	*vaginal*
	oczny		*ocular*
	donosowy		*nasal*
	inhalacja		*inhalation*

Lek – forma, postać	Drug – form
Polish	English
aerozol	aerosol
ampułki	ampules
ampułko-strzykawka	pre-filled syringe
balsam	balm
czopek, czopki (pl.)	suppository, suppositories (pl.)
drażetka, tabletka powlekana	coated tablet
emulsja	emulsion
fiolki	vials
globulka	intravaginal tablet
granulat	granules
kapsułki	capsules
krem	cream
krople	drops
lewatywa, wlewka doodbytnicza	enema
lotion	lotion
maść	ointment
maść natłuszczająca	greasy ointment
maść, mazidło, płyn do wcierania	liniment
nabój	cartridge
nalewka	tincture
pasta	paste
pianka	foam
pigułka	pill
plaster (opatrunkowy)	band aid
plaster (transdermalny)	patch
proszek	powder
puder	powder
roztwór	solution
sok	juice
spray	spray
syrop	syrup
tabletki	tablets
tabletki do ssania	lozenges
tabletki musujące	effervescent, soluble tablets
tabletki o przedłużonym uwalnianiu (MR)	modified release tablets (MR)
tabletki podjęzykowe	sublingual tablets
tabletki powlekane	coated tablets
tabletki rozpuszczalne	effervescent tablets
wyciąg	extract
zawiesina	suspension
zawiesina do infuzji	infusion
zawiesina do płukania gardła	gargle
żel	gel

Lek – grupy	Drug – groups
Polish	English
• antybiotyk	• *antibiotic*
• antyseptyczny	• *antiseptic*
• bakteriobójczy	• *bactericidal*
• cytostatyczny	• *cytostatic*
• hipoglikemiczny	• *hypoglycemic*
• hormonalny	• *hormonal*
• immunosupresyjny	• *immunosuppressant*
• moczopędny	• *diuretic*
• napotny	• *diaphoretic*
• nasenny	• *hypnotic*
• nasercowy	• *cardiac, cardiotonic*
• obniżający ciśnienie	• *hypotensive*
• odkażający	• *disinfecting*
• odwadniający	• *dehydrating*
• osłaniający	• *protective*
• podwyższający ciśnienie	• *hypertensive*
• przeciw nadkwasocie	• *antiacid*
• przeciwastmatyczny	• *antiasthmatic*
• przeciwbólowy	• *analgesic*
• przeciwcukrzycowy	• *antidiabetic*
• przeciwdepresyjny	• *antidepressive*
• przeciwdiuretyczny	• *antidiuretic*
• przeciwgorączkowy	• *antipyretic*
• przeciwkaszlowy	• *antitussive, antibechic*
• przeciwkrwotoczny	• *antihaemorrhagic*
• przeciwpadaczkowy	• *antiepileptic*
• przeciwświądowy	• *antipruritic*
• przeciwwymiotny	• *antiemetic*
• przeciwzakrzepowy	• *anticoagulant*
• przeciwzapalny	• *antiinflammatory*
• przeczyszczający	• *laxative, purgative, aparient*
• przywracający siły	• *restorative*
• psychotropowy	• *psychotropic*
• rozszerzający naczynia	• *vasodilalting*
• sercowo-naczyniowy	• *cardiovascular*
• steroidowy	• *steroid*
• ułatwiający zasypianie	• *sleep-inducing*
• uspokajający	• *sedative, tranquillizing*
• wspomagający	• *adjuvant*
• wykrztuśny	• *expectorant*
• znieczulający	• *anaesthetic*
• zwężający naczynia	• *vasoconstricting*

Leki – stosowanie – czasowniki	*Drugs – directions of use – verbs*
Polish	English
• połknąć	• *swallow*
• położyć, umieścić	• *place*
• popić	• *wash down*
• rozprowadzić	• *spread*
• rozpuścić	• *dilute*
• rozpylić	• *spray*
• stosować	• *apply*
• wdychać	• *inhale*
• wetrzeć	• *rub*
• wkraplać	• *instill*
• wmasować	• *massage*
• wprowadzić, umieścić	• *insert*
• wstrzyknąć	• *inject*
• wymieszać	• *mix*
• wziąć	• *take*
• żuć	• *chew*

Lek – wydawanie	*Drug – dispensing*
Polish	English
• dostępny bez recepty, w wolnej sprzedaży (OTC)	• *non-prescription (OTC)*
• recepturowy, na receptę	• *prescription*

Leki – podawanie		*Drugs – administration*
Polish		English
• co 2 godziny	q2h	• *every two hours*
• co 3 godziny	q3h	• *every three hours*
• co 4 godziny	q4h	• *every 4 hours*
• co drugi dzień	qod	• *every other day*
• co godzinę	qh	• *every hour*
• codziennie	qd	• *every day*
• cztery razy dziennie	qid	• *four times a day*
• dowolnie	ad lib.	• *freely, as desired*
• dwa razy dziennie	bid	• *twice a day*
• gdy potrzeba	prn	• *as required, needed*
• każdego wieczoru	qpm	• *every evening*
• każdej nocy	qn	• *every night*
• na czczo		• *before the first meal*
• przed kolacją/po kolacji		• *before/after supper*
• przed obiadem/po obiedzie		• *before/after dinner*

- przed posiłkiem/po posiłku   *ac/pc*   • *before/after meal*
- przed snem   *hs*   • *before bedtime*
- przed śniadaniem/   • *before/after breakfast*
  /po śniadaniu
- przed/po   *a/p*   • *before/after*
- trzy razy dziennie   *tid*   • *three times a day*
- tyle, ile potrzeba   *ql*   • *as much as desired*
- w razie konieczności   *Ss*   • *as necessary*

Recepta

Świadczeniodawca

Pacjent	**Oddział NFZ**
	Uprawnienia
	Ch. przewlekłe
PESEL	

Rp.

Data wystawienia   **Dane ident. i podpis lekarza**

_____

Data realizacji od dnia

_____

Dane podmiotu drukującego

Recepta	Prescription
Polish	English
• choroby przewlekłe	• *chronic diseases*
• data	• *date*
• kod kreskowy recepty	• *prescription bar code*
• numer recepty	• *prescription number*
• oddział NFZ	• *NHS region*
• pacjent	• *patient*
imię i nazwisko	*first name and family name*
adres zamieszkania	*address*
PESEL	*personal identification number*
• pieczęć i podpis lekarza	• *doctor's stamp and signature*
• Rp. (od łac. *recipe* – weź)	• *superscription*
nazwa leku	*name of medication*
ilość	*amount*
dawkowanie	*dosage*
• świadczeniodawca	• *clinic, hospital issuing the prescription*
• uprawnienia	• *patient entitled to discounts*

Ulotka leku	Patient information leaflet
Polish	English
• stosowanie	• *administration*
• przeciwwskazania	• *contraindications*
• prezentacja leku	• *drug description*
• wskazania	• *indications*
• inne informacje	• *other information*
• objawy uboczne, niepożądane	• *side effects*
• przechowywanie	• *storage*

Rośliny używane w aromaterapii		Plants used in aromatherapy
Polish common name	English common name	Działanie (np.)/Usage (e.g.)
anyż	*anise*	wykrztuśne, przeciwskurczowe, moczopędne
bazylia	*basil*	wspomagające trawienie, tonizujące
bergamota	*bergamot*	uspokajające, kojące, regulujące apetyt; efektywnie działa w trądziku, opryszczce, ospie, czyrakach; odstrasza owady
cynamon	*cinnamon*	antyseptyczne, antyoksydacyjne, hipertermiczne; afrodyzjak
cyprys	*cypress*	ściągające, moczopędne, antyreumatyczne, przeciwpotowe
cytryna	*lemon*	antybakteryjne, przeciwzapalne

drzewo sandałowe	*sandalwood*	dezynfekujące i antyseptyczne
eukaliptus	*eucalyptus*	dezynfekujące, antyseptyczne; działa udrażniająco na zatoki, odstrasza owady
goździk korzenny	*clove*	analgetyczne, antyseptyczne, rozkurczowe
jałowiec	*juniper*	antyseptyczne, napotne, antyreumatyczne, moczopędne
jaśmin	*jasmine*	antydepresyjne
koper	*fennel*	moczopędne, wzmagające łaknienie, wspomagające laktację
lawenda	*lavender*	redukujące zmęczenie psychiczne i fizyczne, bóle głowy, zwalczające bezsenność
limonka	*lime*	hamujące łaknienie
mandarynka	*tangerine*	wzmagające łaknienie, wspomagające produkcję żółci
mięta pieprzowa	*peppermint*	pomocne przeciw poparzeniom słonecznym, chorobie lokomocyjnej, niestrawności, bólach głowy
mięta zielona	*spearmint*	rozkurczowe, analgetyczne, wykrztuśne
paczula	*patchouli*	antydepresyjne, odwadniające; afrodyzjak
palisander	*rosewood*	relaksujące
pelargonia	*rose geranium*	przeciwzapalne
pomarańcza	*orange*	stymulant nastrojów; działa wspomagająco na wytwarzanie żółci
rozmaryn	*rosemary*	zmniejszające zmęczenie psychiczne i fizyczne; pomocniczo przy bólach głowy, problemach z pamięcią
róża	*rose*	relaksujące, odświeżające, zmniejszające napięcie, niepokój i depresję, odmładzające skórę, pomocne przy tłustej i wrażliwej skórze
rumianek	*camomile*	zmniejsza nerwowość, depresję i bezsenność; pomocniczo przy suchej skórze, trądziku, egzemie, bólach menstruacyjnych
sosna	*pine*	zmniejszające stres emocjonalny, problemy oddechowe, zmęczenie
szałwia	*sage*	relaksujące, odprężające, rozgrzewające
trawa cytrynowa (palczatka)	*lemongrass*	przeciwzapalne i grzybobójcze
ylang-ylang	*ylang-ylang*	relaksujące; pomocniczo przy tłustej skórze

Inne rośliny lecznicze	Other medicinal plants
Polish	English
• aloes	• aloe
• arcydzięgiel	• angelica
• arnika	• arnica
• babka	• plantain
• belladonna	• belladonna, deadly nightshade
• bluszcz	• ivy
• borówka	• cowberry
• brzoza	• birch
• cebula	• onion
• chmiel	• hop
• czarny bez	• black elder
• cząber	• savory
• czosnek	• garlic
• gałka muszkatołowa	• nutmeg
• głóg pospolity	• hawthorn
• imbir	• ginger
• jemioła	• mistletoe
• kardamon	• cardamon
• kasztanowiec zwyczajny (kasztan)	• chestnut
• kminek	• caraway
• koper włoski	• fennel
• krwawnik pospolity	• yarrow
• kurkuma	• turmeric
• lipa	• lime (linden)
• lubczyk	• lovage
• majeranek	• marjoram
• mak	• poppy
• malina	• raspberry
• malwa	• hollyhock
• melisa	• lemon balm/sweet balm
• mniszek lekarski	• dandelion
• nagietek	• marigold
• orzech włoski	• walnut
• owoc dzikiej róży	• rosehip
• pieprz	• pepper
• pierwiosnek lekarski	• cowslip
• piołun	• wormwood
• pokrzywa	• nettle
• pszenica	• wheat
• senes	• senna
• siemię lniane	• linseed, flaxseed
• skrzyp pospolity	• horsetail
• szafran	• saffron

- truskawka
- tymianek
- waleriana
- wierzba
- żyto

- *strawberry*
- *thyme*
- *valerian*
- *willow*
- *rye*

Ulotka – instrukcje i ostrzeżenia
Leaflet – directions and warnings

Instrukcje i ostrzeżenia	Directions and warnings
Polish	English
Chronić przed światłem i wilgocią.	Protect from light and moisture.
Do podawania dożylnego.	To be administered intravenously.
Do rozcieńczenia w wodzie.	To be diluted in water.
Dobrze wstrząsnąć przez użyciem.	Shake well before use.
Informacja o stosowaniu i dawkowaniu: zob. załączona ulotka.	For indication and dosage see enclosed leaflet.
Instrukcje i ostrzeżenia.	Directions and warnings.
Jeśli dolegliwości utrzymują się powyżej (...) dni, należy skonsultować się z lekarzem.	If symptoms persist for more than (...) days, consult your doctor.
Należy poinformować lekarza o wszystkich przyjmowanych lekach.	Your doctor should be informed about all the drugs you take.
Nie należy prowadzić pojazdów mechanicznych.	Do not operate motor vehicles.
Nie podawać dzieciom poniżej (...) roku życia.	Do not give to children under (...)
Nie przekłuwać i nie palić, nawet po opróżnieniu.	Do not puncture or burn even if empty.
Nie przekraczać daty ważności podanej na opakowaniu.	Use by expiration date printed on package.
Nie rozpylać w okolicy oczu.	Do not spray near eyes.
Nie stosować częściej niż co (...) godziny/ /(...) razy na dobę.	Do not take more frequently than every (...) hours/ /(...) times a day.
Nie stosować dłużej niż (...) po pierwszym otwarciu opakowania.	Do not use longer than a (...) after first opening.
Nie stosować podwójnej dawki w celu uzupełnienia pominiętej.	Do not use a double dose when you missed the previous one.
Nie zaleca się dzieciom poniżej (...) roku życia.	Not suitable for children under (...) years of age.

Połknąć, popijając niewielką ilością wody.	*Swallow with a glass of water.*
Przechowywać w chłodnym miejscu.	*Store in a cool place.*
Przechowywać w miejscu niedostępnym dla dzieci.	*Keep out of reach of children.*
Przechowywać w szczelnie zamkniętym pojemniku.	*Store in a well-closed container.*
Przechowywać z dala od ciepła i promieni słonecznych.	*Store away from heat and direct sunlight.*
Przyjmować przed jedzeniem/ /po jedzeniu.	*To be taken before meals/after meals.*
Ściśle przestrzegać dawkowania i sposobu podawania.	*Dosage and administration should be closely followed.*
Tylko do użytku zewnętrznego.	*For external use only.*
W przypadku przedawkowania należy zwrócić się o pomoc do lekarza.	*In case of overdose seek professional assistance.*

Dialogi
Conversations

Dialog 1	Conversation 1
Polish	English
F: Dzień dobry pani.	*Ph: Good morning, Madam.*
K: Dzień dobry, panie magistrze.	*C: Good morning, Sir. (~Master in Pharmacy)*
F: Co mogę podać?	*Ph: What can I do for you? (~What can I give you?)*
K: Poproszę coś na ból głowy. Okropnie mnie boli od samego rana.	*C: Give me something for a headache, please. I've had a horrible headache since early morning.*
F: Co pani zazwyczaj przyjmuje na ból głowy?	*Ph: What do you usually take for a headache?*
K: Nie wiem. Nie pamiętam nazwy.	*C: I don't know. I don't remember the name.*
F: Jak wygląda ten lek?	*Ph: What does this drug look like?*
K: Duża, biała, płaska, okrągła tabletka.	*C: A big, white, flat, round tablet.*
F: Bardzo duża?	*Ph: Very big?*
K: Tak. Rozpuszczalna.	*C: Yes. Soluble.*
F: Chyba myśli pani o (...).	*Ph: You must be thinking about (...).*
K: O, tak. To właśnie to.	*C: Oh, yes. That's it.*
F: Jeśli chce pani wziąć tabletkę teraz, to na stoliku jest woda i kubeczki jednorazowe.	*Ph: If you want to take a tablet right now, there is some water and plastic cups on the table.*
K: Wspaniale. Tylko zapłacę. Ile to kosztuje?	*C: Great. I'll pay first. How much is it?*
F: Dwanaście sztuk 12 złotych.	*Ph: Twelve zloty per 12 tablets.*
K: Poproszę.	*C: I'll have it.*

F: Czy często pani bierze ten lek?	*Ph: Do you often take it?*
K: Raz, dwa razy w miesiącu.	*C: Once or twice a month.*
F: Szybko przynosi pani ulgę?	*Ph: Does it quickly relieve pain?*
K: Od razu.	*C: Oh, immediately.*
F: Proszę tylko pamiętać, że nie można brać więcej niż osiem tabletek dziennie.	*Ph: Just remember not to take more than eight tablets a day.*
K: Dobrze, będę pamiętać.	*C: OK. I will.*

Dialog 2	*Conversation 2*
Polish	English
F: Dzień dobry panu.	*Ph: Good morning, Sir.*
K: Dzień dobry, pani magister.	*C: Good morning, Madam. (~Master in Pharmacy)*
F: W czym mogę pomóc?	*Ph: How can I help you?*
K: Czy mogę coś dostać na kaszel?	*C: Can you give me something for a cough?*
F: Co to za kaszel: suchy czy mokry?	*Ph: What kind of cough is it: dry or productive?*
K: Suchy, męczący kaszel.	*C: It's a dry, persistent cough.*
F: To dla pana?	*Ph: It's for you, isn't it?*
K: Nie, dla mojego syna.	*C: No, it's for my son.*
F: Ile ma lat?	*Ph: How old is he?*
K: Dziesięć. I jeszcze jedno, ma cukrzycę. Poproszę coś bez cukru.	*C: Ten. And one more thing, he has diabetes. I need something sugar-free.*
F: Dobrze, że pan o tym mówi. Syropy są zazwyczaj bardzo słodkie. Ale mamy też dla diabetyków, np. (...).	*Ph: Good that you've mentioned it. Syrups are usually very sweet. But we have something special for diabetics, e.g. (...).*
K: Nie znam go. Czy jest dobry?	*C: I don't know it. Is it good?*
F: To najczęściej kupowany przez diabetyków syrop.	*Ph: It's the best selling syrup for diabetics.*
K: To ja też go wezmę. W jakiej jest cenie?	*C: So, I'll take it, too. What's the price?*
F: Trzynaście złotych za butelkę.	*Ph: Thirteen zloty per bottle.*
K: Poproszę.	*C: I'll have it.*
F: Tu są informacje o dawkowaniu: trzy lub cztery razy dziennie po pół łyżeczki. Proszę podawać dziecku po posiłku.	*Ph: Here is dosage information: three or four times daily, a half of teaspoon. Give it to your child after a meal.*
K: Dobrze. Dziękuję. Do widzenia.	*C: OK. Thank you. Good bye.*
F: Życzę mu szybkiego powrotu do zdrowia. Do widzenia.	*Ph: I wish him a speedy recovery. Good bye.*

Rozdział 8

Na uniwersytecie medycznym
At medical university

Władze uczelni	*University authorities*
Polish	English
• rektor	• *rector*
• prorektor	• *vice rector, deputy rector*
• kanclerz	• *chancellor*
• dziekan	• *dean*
• prodziekan	• *vice dean, deputy dean*
• prodziekan do spraw studenckich	• *deputy dean for students' affairs*
• kierownik	• *head (of the department)*

Nauczyciele akademiccy i personel administracyjny	*Teaching and administrative staff*
Polish	English
• profesor	• *professor*
• profesor nadzwyczajny	• *associate professor*
• doktor habilitowany, docent	• *associate professor*
• koordynator	• *coordinator (assistant professor)*
• adiunkt	• *associate professor (tutor, lecturer)*
• opiekun pracy, np. magisterskiej	• *tutor*
• starszy wykładowca	• *senior lecturer*
• wykładowca	• *lecturer*
• asystent	• *assistant*
• kwestor	• *bursar*

Stopnie naukowe	*Academic titles*
Polish	English
• licencjat	• *licentiate, bachelor (BA/BSc)*
• magister	• *master (MA/MSc)*

- doktor
- doktor habilitowany
- profesor

- *philosophy doctor (PhD)*
- *assistant professor*
- *professor (Prof.)*

Studenci	Students
Polish	English
student pierwszego roku studiów	*the first year student, freshman*
student drugiego roku studiów	*the second year student, sophomore*
student trzeciego roku studiów	*the third year student*
student czwartego roku studiów	*the fourth year student*
student piątego roku studiów	*the fifth year student*
student szóstego roku studiów, student ostatniego roku	*the sixth year student, the final year student*
słuchacz studiów podyplomowych	*postgraduate student*
absolwent	*graduate, alumnus*
student będący na wymianie	*exchange student*
praktykant	*trainee*
stażysta	*intern*

Organizacja studiów	Organization of studies
Polish	English
Akademicki Związek Sportowy (AZS)	*Students' Sports Association*
aula	*lecture hall, lecture theater*
biblioteka	*library*
biuro zakwaterowań	*accommodation office*
blok kliniczny	*rotation*
bufet, stołówka	*canteen*
chór	*choir*
ćwiczenie	*class, practical*
drugi termin egzaminu	*the second exam attempt*
dziekanat	*dean's office*
dzień rektorski	*free rector's day*
egzamin komisyjny	*examination board exam*
egzamin końcowy	*final exam*
egzamin pisemny	*written exam*
egzamin praktyczny	*practical examination*
egzamin teoretyczny	*theoretical examination*
egzamin ustny	*oral exam*
egzamin wstępny	*entrance exam*
fakultety	*electives, optional courses*
grant	*grant*
inauguracja roku akademickiego	*inauguration (ceremony)*
indeks	*student book*

indywidualna organizacja studiów (IOS)	*idividual class schedule*
indywidualny tok studiów (ITS)	*student-selected programme*
kalendarz akademicki	*academic calendar*
karta zaliczeniowa	*evaluation/examination chart*
kartkówka	*quiz*
katedra	*chair*
kliniczny	*clinical (training)*
kliniczny blok praktyczny	*clinical classes, rotations*
klub	*club*
kolokwium	*test (credited)*
książeczka zdrowia studenta	*student's health book*
laboratorium	*laboratory*
legitymacja studencka	*student's ID*
nagroda	*award*
ocena	*grade*
ocena bardzo dobra (5)	*excellent*
ocena dobra (4)	*good*
ocena dostateczna (3)	*satisfactory*
ocena dość dobra (3,5)	*fairly good*
ocena niedostateczna (2)	*unsatisfactory*
ocena ponad dobra (4,5)	*very good*
oddział	*department*
opłata	*payment*
pierwszy termin egzaminu	*the first exam attempt*
praca badawcza	*research work*
praca dyplomowa	*thesis*
praktyka	*attachment, summer training, practice, clerkship*
prawo wykonywania zawodu	*registration*
przedkliniczny (blok)	*pre-clinical (training)*
przedmiot	*subject, course*
przerwa zimowa	*winter break*
rada pedagogiczna	*educational board*
rekrutacja	*admission*
rok akademicki	*academic year*
sala wykładowa	*lecture room*
samorząd studencki	*student's council, students' union*
semestr	*semester, term (1/2 of the year)*
seminarium	*seminar*
sesja (egzaminacyjna)	*examination session*
sesja poprawkowa	*retake session*
staż (podyplomowy)	*internship*
Studenckie Towarzystwo Naukowe (STN)	*Student's Scientific Society*

stypendium	*scholarship*
sylabus	*syllabus*
szkolenie	*training*
szkolenie pozaprogramowe	*elective period*
test końcowy	*end-of-term test*
trzeci termin egzaminu	*the third exam attempt*
warunek, ostrzeżenie	*probation*
wręczenie dyplomów	*graduation*
wydział	*faculty*
wykład	*lecture*
wyróżnienie	*distinction*
zajęcia	*classes*
zaliczenie	*signature, credit (pass/fail)*
zaliczenie na ocenę	*credit with grade*

Kącik językowy
Language corner

Polish	English
być na urlopie dziekańskim	*be on dean's leave*
mieć urlop dziekański	*have dean's leave*
nie zdać egzaminu (oblać egzamin)	*fail an exam*
odwołać się	*appeal*
otrzymać stypendium	*receive a scholarscip*
powtarzać/repetować rok	*repeat the year*
przełożyć egzamin	*put off an exam*
przyjąć na uniwersytet	*admit to university*
przystąpić do egzaminu	*sit an exam*
ubiegać się o stypendium	*apply for a scholarscip*
wypełnić formularz	*fill in a form*
wyrzucić ze studiów/z uniwersytetu	*expel from university*
wziąć urlop dziekański	*take dean's leave*
zdać egzamin	*pass a exam*
złamać zasady	*breach the rules*

Rozdział 9

W szpitalu
In hospital

Szpitale – typy	Hospitals – types
Polish	English
• miejski	• *municipal*
• ogólny	• *general*
• państwowy	• *public*
• powiatowy	• *district*
• prywatny	• *private*
• specjalistyczny	• *specialist*
• uniwersytecki, kliniczny	• *teaching, university, clinical, clinic*
• wojewódzki	• *regional*

Personel lekarski	Medical staff
Polish	English
• asystent	• *assistant*
• konsultant	• *consultant*
• konsultant krajowy	• *national consultant*
• konsultant wojewódzki	• *regional consultant*
• lekarz	• *physician*
• lekarz dyżurny	• *doctor-on-duty*
• lekarz klinicysta	• *clinician*
• lekarz miasta	• *chief physician of the city*
• lekarz prowadzący	• *attending physician*
• ordynator	• *head of the ward*
• rezydent	• *resident*
• specjalista	• *specialist*
• stażysta	• *intern*
• zastępca (z-ca) ordynatora	• *deputy head of the ward*

Personel medyczny średniego szczebla — *Nursing staff*

Polish	English
naczelna pielęgniarka szpitala	*staff nurse, head nurse*
pielęgniarka	*nurse*
pielęgniarka dyplomowana	*registered nurse*
pielęgniarka epidemiologiczna	*epidemiological nurse*
pielęgniarka instrumentariuszka	*scrub nurse, theatre nurse*
pielęgniarka odcinkowa	*charge nurse*
pielęgniarka pomocnicza	*aide, assistant nurse*
pielęgniarka rejonowa	*district nurse*
pielęgniarka szpitalna	*staff nurse*
pielęgniarka środowiskowa	*community nurse*
położna	*midwife*
pomoc pielęgniarska	*nursing assistant*
przełożona pielęgniarek	*staff nurse, head nurse*
siostra oddziałowa	*departmental sister, charge nurse*
zespół terapeutyczny	*health care team*

Administracja i personel pomocniczy — *Administration and support staff*

Polish	English
dietetyk	*dietitian, diet consultant*
doradca	*counselor*
dyspozytor	*dispatcher, emergency medical*
farmaceuta (m.), farmaceutka (f.)	*pharmacist*
fizjoterapeuta	*physiotherapist*
instruktor gimnastyki leczniczej	*remedial gymnast*
instruktor terapii zajęciowej	*occupational therapist*
kapelan	*chaplain*
kierowca	*driver*
laborant (m.), laborantka (f.)	*laboratory assistant*
logopeda	*speech therapist*
pedikiurzystka	*chiropodist*
pracownik archiwum szpitalnego	*medical records clerk*
pracownik opieki społecznej	*medical social worker*
ratownik medyczny	*paramedic*
rejestratorka	*receptionist*
sanitariusz	*hospital porter, orderly*
technik	*technician*
technik rentgenowski	*radiographer*

Pomieszczenia szpitalne	Hospital rooms
Polish	English
• apteka szpitalna	• dispensary
• bank danych	• medical records department
• bank krwi	• blood bank
• blok operacyjny	• operating theater/suite/room (OR)
• brudownik	• dirty utility room
• centralna sterylizatornia	• central sterile supply department (CSSD)
• gabinet lekarski	• doctor's office, surgery
• główny magazyn	• bulk stores
• intensywna terapia, oddział intensywnej opieki medycznej (OIOM)	• intensive care unit (ICU)
• izba przyjęć	• admissions
• laboratorium	• pathological laboratory
• magazyn narzędzi i sprzętu	• storage room, clean utility
• miejsce przygotowania chirurgów	• scrub room
• oddział (poszczególne oddziały – zob. specjalizacje)	• ward (for particular wards – see: specializations)
• pokój instrumentariuszek	• scrub nurse room
• pokój przygotowań	• preparation room
• pokój zabiegowy	• treatment room
• pralnia	• laundry
• przychodnia, poradnia	• outpatient department
• radiologia	• radiology, X-ray department
• sala chorych	• bay
• sala operacyjna	• operating room (OR)
• sala pooperacyjna	• recovery room
• sala porodowa	• delivery room, labor room
• sala premedykacyjna	• premedication room
• sala wybudzeń	• postoperative room
• stacja dializ	• dialysis center
• sterylizatornia	• sterilizing room
• szpitalny oddział ratunkowy (SOR)	• accident and emergency (A & E)
• śluza (sanitarna)	• sluice (sanitary)
• zakład diagnostyki obrazowej	• imaging and radiology center

Oddział – wyposażenie	Ward – equipment
Polish	English
• agrafka	• safety pin
• aparat do USG	• USG unit
• aparat EKG	• ECG recorder
elektrody	electrodes
ssawki	suction cups
zapis	recording
odcinek z zapisem	rhythm strip

• basen	• *bedpan*
• bielizna pościelowa	• *bed linen*
• buteleczka na krew	• *blood bottle*
• buteleczka na mocz	• *urine bottle*
• butla z tlenem	• *oxygen cylinder*
• centymetr (taśma miernicza)	• *measuring tape*
• cewnik	• *catheter*
• chodzik, balkonik	• *walker, walking frame*
• chusteczka	• *tissue*
• defibrylator	• *defibrillator*
• dozownik, aplikator	• *applicator*
• elektrody defibrylatora	• *defibrillator paddles*
• gąbka	• *sponge*
• glukometr	• *glucometer*
• gorset ortopedyczny	• *back brace*
• historia choroby	• *case notes*
• igła	• *needle*
• inkubator	• *incubator*
• kaczka, naczynie na mocz	• *urinal*
• kamerton	• *tuning fork*
• kaniula	• *cannula*
• kleszczyki	• *forceps*
• koc	• *blanket*
• kołdra	• *comforter*
• kołnierz do stabilizacji szyi	• *cervical collar*
• kołyska	• *bassinet, cradle*
• kozetka lekarska	• *examination couch*
• kran	• *tap, faucet*
• kroplówka, wlew dożylny	• *infusion drip, intravenous*
• kuchenka	• *cooker*
• kula (inwalidzka)	• *crutch*
• laska	• *walking stick*
• latarka	• *torch, pen-torch*
• lodówka	• *fridge*
• lusterko czołowe	• *head mirror*
• lusterko laryngologiczne	• *laryngeal mirror*
• łazienka	• *bathroom*
• łóżeczko dziecinne	• *cot*
• łóżko	• *bed*
• materac	• *mattress*
• materac przeciwodleżynowy	• *anti decubitus mattress*
• miska	• *basin*
• młotek neurologiczny	• *patella, percussion hammer*
• naczynie, zbiornik	• *receptacle*
• nereczka (miseczka na brudy)	• *kidney dish, receiver*

nosze	stretcher
nożyczki	scissors
oftalmoskop, wziernik oczny	ophtalmoscope
opaska ściskająca podtrzymująca brzuch	abdominal support
opaska uciskowa	tourniquet
otoskop, wziernik uszny	auriscope, otoscope
parawan	ward screen
pieluszka	nappy
podkład	rubber sheet
podpaska	sanitary napkin, sanitary pad
podpórka pod poduszkę	bedrest
poduszka	pillow
pojemnik na mydło	soap dispenser
pojemnik na plwocinę	sputum pot
pompa próżniowa	vacuum pump
pończochy uciskowe	compression stockings
pościel	bedclothes, bed linen
probówka	test-tube
próbka (materiał do badania)	sample, specimen
prysznic	shower
prześcieradło	sheet
przyrząd do mierzenia ciśnienia krwi, sfigmomanometr	sphygmomanometer
gruszka	bulb
mankiet	cuff
przyrząd do mierzenia wzrostu	stadiometer, height measure
respirator	respirator
resuscytator	resuscitation machine
ręcznik	towel
rękawiczki jednorazowe	disposable gloves
spirometr	peak flow meter
sterylny zestaw opatrunkowy	ready-packed (pre-packed) sterile set
stetoskop, słuchawki lekarskie	stethoscope
stojak na kroplówkę	drip stand
strzykawka	syringe
szafka na leki i narzędzia	cabinet
szkło powiększające	magnifying glass
szpatułka	tongue depressor, spatula
sztuczna kończyna	artificial limb
świadectwo lekarskie	medical certificate
tablica do badania widzenia barw	color vision chart
tablica Snellena (do badania ostrości wzroku)	Snellen's chart
tampon	tampon
termometr	thermometer

Polish	English
• w.c., toaleta, ubikacja	• *toilet, restroom*
• waga	• *scales, weighing scales*
• wenflon	• *cannula*
• worek cewnika	• *catheter bag*
• worek na śmieci	• *disposal bag*
• worek, torba na drenaż	• *drainage bag*
• wózek	• *trolley*
• wózek inwalidzki	• *wheelchair*
• wziernik	• *speculum*
• wziernik do badania jam nosa	• *nasal speculum*
• wziernik odbytniczy, proktoskop	• *proctoscope*
• wziernik pochwowy	• *vaginal speculum*
• zagłówek	• *headboard*
• zasłona	• *curtain*
• żel nawilżający	• *lubricating jelly, gel*

Pierwsza pomoc, opatrunki	*First aid, dressings*
Polish	English
• bandaż	• *bandage*
• bandaż elastyczny	• *elastic bandage*
• bandaż gazowy	• *gauze bandage*
• bandaż zwijany	• *roller bandage*
• chusta czworokątna	• *quadrangular bandage*
• gaza	• *gauze*
• gaza higroskopijna	• *absorbent gauze*
• gazik	• *cotton pad*
• gips	• *plaster*
• lignina	• *wood-wool, xylogen*
• opaska podtrzymująca	• *suspensory bandage*
• opatrunek gipsowy, opaska gipsowa	• *plaster (of Paris) cast*
• plaster, przylepiec	• *sticking plaster, adhesive plaster*
• poduszeczka z gazy, tampon	• *gauze pad*
• przylepiec w taśmie, na rolce	• *adhesive tape*
• tampon	• *gauze pack*
• wacik	• *swab, pledget (cotton wool)*
• wata	• *cotton wool*

Sala operacyjna – wyposażenie	*Operating room – equipment*
Polish	English
• aparat do narkozy	• *anesthesia machine*
• dren	• *drain*
• fotel ginekologiczny	• *ginecological unit*
• fotel stomatologiczny	• *stomatology unit*

• kardiomonitor wielofunkcyjny	• *electronic monitor*
• lampy operacyjne	• *operating room lights*
• laparoskop	• *laparoscope*
• maszyna do krążenia pozaustrojowego	• *heart-lung machine*
• mikroskop operacyjny	• *operating microscope*
• przyrząd do koagulacji	• *electrocautery machine*
koagulacja monopolarna	*monopolar coagulation*
koagulacja bipolarna	*bipolar coagulation*
• pulsoksymetr	• *pulse oximeter*
• ssak ultradźwiękowy (CUSA)	• *cavitron ultrasonic surgical aspirator (CUSA)*
• ssaki	• *suctions*
• stacja pomp infuzyjnych	• *infusion pump mount*
• stolik anestezjologiczny	• *anesthesia cart*
• stół operacyjny	• *operating table*
• stół ze stali nierdzewnej	• *stainless steel table*
• urządzenie do pomiaru ciśnienia	• *automated blood pressure measuring machine*
• zestaw narzędzi chirurgicznych	• *sterile instruments set*

Zespół operacyjny – strój	Operating team – scrubs
Polish	English
• fartuch (długi)	• *gown (long)*
• maska	• *mask*
• ochraniacze na buty	• *shoe protective covers*
• ochronne nakrycie głowy	• *protective cup*
• okulary ochronne	• *glasses, shades*
• rękawiczki chirurgiczne	• *surgical gloves*
• strój operacyjny	• *surgical scrubs/clothing, theater pyjamas*

Narzędzia chirurgiczne	Surgical equipment
Polish	English
• drut, pręt	• *rod*
• gwóźdź	• *nail*
• hak	• *retractor*
• igła	• *needle*
• imadło do igieł	• *needle holder forceps, needledriver*
• klem naczyniowy	• *hemostat*
• klem, zaciskacz	• *clamp*
• kleszcze	• *forceps*
• kleszcze do kruszenia kamieni	• *lithotrite*
• kleszcze położnicze	• *obstetrical forceps*
• kleszczyki	• *forceps, tweezers*

• kleszczyki chirurgiczne Kochera (pean, kocher)	• *Kocher's forceps*
• kleszczyki do kamieni moczowych	• *gorget*
• lancet	• *lancet*
• łyżka kostna	• *bone spoon*
• nici	• *thread*
• nożyce	• *scissors, forceps*
• nóż elektryczny, elektroskalpel	• *electroscalpel*
• osteotom, dłuto kostne	• *osteotome*
• pean	• *pean, hemostat, hemostatic clamp, arterial forceps*
• pęseta, pinceta, szczypczyki	• *tweezers*
• piła	• *saw*
• pin	• *pin*
• raspator	• *surgical raspator*
• retraktor	• *retractor*
• rozszerzadło Hegara (hegar)	• *Hegar's dilator*
• rozwieracz do ran	• *wound retractor*
• skalpel	• *scalpel*
• stapler	• *stapler*
• szczypczyki anatomiczne	• *anatomical tweezers*
• szczypczyki chirurgiczne	• *surgical tweezers*
• śruba	• *screw*
• trepan	• *trephine*
• trokar	• *trocar*
• zaciskacz do jelit	• *intestinal suture forceps*

Cięcia chirurgiczne	*Surgical incisions*
Polish	English
• górnoprzyśrodkowe	• *upper midline*
• klatki piersiowej	• *thoracotomy*
• Kochera	• *Kocher's*
• Morrisa	• *Morris's*
• poprzeczne	• *transverse*
• przezprostne	• *paramedian*
• Rutherforda Morrisona	• *Rutherford Morrison's*
• środkowoszyjne	• *middle cervical*

Typy szwów	*Types of sutures*
Polish	English
• adaptacyjny	• *coaptation*
• atraumatyczny	• *atraumatic*
• ciągły	• *chain*

• ciągły	• *continuous*
• kapciuchowy	• *purse-string*
• katgutowy	• *catgut*
• materacowy	• *mattress, blanket, quilted*
• przerywany, węzełkowy	• *interrupted*
• śródskórny	• *intradermal*

Rodzaje nici	Types of threads
Polish	English
• niewchłanialne	• *non-absorbable*
jedwab	*silk*
len	*flax*
poliester	*polyester*
stal	*steel*
• wchłanialne	• *absorbable*
naturalne – catgut	*natural – catgut*
syntetyczne	*synthetic*

Kącik językowy
Language corner

Polish	English
• iść do szpitala	• *go to hospital*
• przyjąć do szpitala	• *admit to hospital*
• skierować do szpitala	• *refer to hospital*
• wyjść ze szpitala	• *leave hospital*
• wypisać ze szpitala	• *discharge from hospital*
• wysłać do szpitala	• *send to hospital*

Specjalizacje i specjaliści/Specializations and specialists

Specjalista / Specialist	Specjalizacja / Specialization	Przymiotnik / Adjective	Przedmiot zainteresowania / Field of interest
• alergolog / alergologist	• alergologia	• alergologiczny	• schorzenia alergiczne, uczulenia
• anestezjolog / anesthesiologist	• anestezjologia	• anastezjologiczny	• znieczulanie
• angiolog / angiologist	• angiologia	• angiologiczny	• choroby i zmiany naczyniowe
• chirurg / surgeon	• chirurgia	• chirurgiczny	• leczenie operacyjne
• chirurg stomatologiczny / dental surgeon	• chirurgia stomatologiczna	• chirurgiczny	• lecznie operacyjne jamy ustnej
• chirurg twarzowo-szczękowy / facio-mandibular surgeon	• chirurgia szczękowo-twarzowa	• twarzowo-szczękowy	• leczenie operacyjne jamy ustnej i twarzoczaszki
• dermatolog / dermatologist	• dermatologia	• dermatologiczny	• choroby skóry
• diabetolog / diabetologist	• diabetologia	• diabetologiczny	• cukrzyca
• endodonta / endodontist	• stomatologia zachowawcza z endodoncją	• endodontyczny	• choroby miazgi zęba i tkanek okołowierzchołkowych
• endokrynolog / endocrinologist	• endokrynologia	• endokrynologiczny	• choroby gruczołów dokrewnych
• epidemiolog / epidemiologist	• epidemiologia	• epidemiologiczny	• czynniki i szerzenie się chorób zakaźnych
• ftyzjatra / pulmonologist specialised in TB	• ftyzjatria	• ftyzjatryczny	• gruźlica płuc
• gastroenterolog / gastroenterologist	• gastroenterologia	• gastroenterologiczny	• choroby żołądka i jelit
• genetyk kliniczny / clinical genetic	• genetyka kliniczna	• genetyczny	• wady i zmiany genetyczne
• geriatra / geriatrician	• geriatria	• geriatryczny	• choroby osób starszych
• ginekolog / gynecologist	• ginekologia	• ginekologiczny	• choroby układu rozrodczego kobiet
• hematolog / hematologist	• hematologia	• hematologiczny	• choroby krwi
• hepatolog / hepatologist	• hepatologia	• hepatologiczny	• choroby wątroby

• hipertensjolog	• *hypertensiologist*	• hipertensjologia	• hipertensjologiczny	• nadciśnienie tętnicze i jego powikłania
• immunolog	• *immunologist*	• immunologia	• immunologiczny	• choroby układu odpornościowego
• internista	• *specialist in internal diseases*	• interna	• internistyczny	• choroby narządów wewnętrznych
• kardiochirurg	• *cardiosurgeon*	• kardiochirurgia	• kardiochirurgiczny	• operacyjne leczenie chorób serca
• kardiolog	• *cardiologist*	• kardiologia	• kardiologiczny	• choroby serca i układu krążenia
• nefrolog	• *nephrologist*	• nefrologia	• nefrologiczny	• choroby nerek
• neonatolog	• *neonatologist*	• neonatologia	• neonatologiczny	• choroby noworodków
• neurochirurg	• *neurosurgeon*	• neurochirurgia	• neurochirurgiczny	• operacyjne leczenie chorób układu nerwowego
• neurolog	• *neurologist*	• neurologia	• neurologiczny	• choroby układu nerwowego
• neuropatolog	• *neuropathologist*	• neuropatologia	• neuropatologiczny	• zmiany w obrębie układu nerwowego
• okulista	• *ophtalmologist*	• okulistyka	• okulistczny	• choroby oczu
• onkolog	• *oncologist*	• onkologia	• onkologiczny	• choroby nowotworowe
• ortodonta	• *orthodontist*	• ortodoncja	• ortodontyczny	• profilaktyka i leczenie wad zgryzu
• ortopeda	• *orthopedist*	• ortopedia	• ortopedyczny	• wady i urazy kości, mięśni i stawów
• otolaryngolog	• *laryngologist, ENT*	• otolaryngologia	• otolaryngologiczny	• choroby gardła, uszu i nosa
• patomorfolog	• *pathomorphologist*	• patomorfologia	• patomorfologiczny	• rozpoznawanie i klasyfikacja czynników prognostycznych
• pediatra	• *pediatrician*	• pediatria	• pediatryczny	• choroby dzieci
• peridentolog	• *peridontologist*	• periodontologia	• peridentologiczny	• profilaktyka i leczenie chorób przyzębia
• położnik	• *obstetrician*	• położnictwo	• położniczy	• ciąża i poród
• protetyk	• *prosthetist*	• protetyka	• protetyczny	• odtwarzanie warunków zgryzowych

specjalista		dziedzina		
psychiatra	*psychiatrist*	psychiatria	psychiatryczny	choroby psychiczne
pulmonolog	*pulmonologist*	pulmonologia	pulmonologiczny	choroby płuc
radiolog	*radiologist*	radiologia i diagnostyka obrazowa	radiologiczny	obrazowanie ciała pacjenta
radioterapeuta	*radiotherapeutist*	radioterapia onkologiczna	radioterapeutyczny	leczenie za pomocą promieniowania jonizującego
reumatolog	*rheumatologist*	reumatologia	reumatologiczny	choroby mięśni i stawów
seksuolog	*sexologist*	seksuologia	seksuologiczny	choroby i zaburzenia układu rozrodczego
specjalista balneologii i medycyny fizykalnej	*balneologist*	balneologia i medycyna fizykalna	balneologiczny	wykorzystanie wód i borowin, fizjoterapii w leczeniu
specjalista farmakologii klinicznej	*pharmacologist*	farmakologia kliniczna	farmakologiczny	mechanizm i skutki działania leków na organizm
specjalista chorób zakaźnych	*specialist in infectious diseases*	choroby zakaźne	zakaźny	choroby zakaźne
specjalista medycyny sądowej	*forensic medicine specialist*	medycyna sądowa	sądowy	kryminalistyka
specjalista medycyny sportowej	*sport medicine specialist*	medycyna sportu	sportowy	profilaktyka i lecznie urazów sportowych
specjalista rehabilitacji medycznej	*medical rehabilitation specialist*	rehabilitacja medyczna	rehabilitacyjny	przywracanie sprawności fizycznej i psychicznej
specjalista zdrowia publicznego	*public health specialist*	zdrowie publiczne	–	zdrowie populacyjne

specjalista medycyny nuklearnej	*nuclear medicine specialist*	medycyna nuklearna	nuklearny	diagnozowanie i leczenie za pomocą izotopów promieniotwórczych
specjalista medycyny paliatywnej	*palliative medicine specialist*	medycyna paliatywna	paliatywny	opieka nad pacjentami nieuleczalnie chorymi
specjalista medycyny pracy	*occupational medicine specialist*	medycyna pracy	–	wpływ środowiska pracy na pacjenta
specjalista chirurgii urazowej	*traumatologist*	chirurgia urazowa i traumatologia	traumatologiczny, urazowy	wypadki, urazy
specjalista medycyny rodzinnej	*GP*	medycyna rodzinna	rodzinny	medycyna ogólna, podstawowa opieka
stomatolog	*stomatologist*	stomatologia	stomatologiczny	choroby zębów i jamy ustnej
stomatolog dziecięcy	*orthodontologist*	stomatologia dziecięca	stomatologiczny	choroby i profilaktyka jamy ustnej dzieci
toksykolog	*toxicologist*	toksykologia	toksykologiczny	oddziaływanie czynników toksycznych
transfuzjolog	*transfusiologist*	transfuzjologia	transfuzjologiczny	przetaczanie płynów
transplantolog	*transplantologist*	transplantologia	transplantologiczny	przeszczepianie narządów
urolog	*urologist*	urologia	urologiczny	choroby układu moczowego

A | Jednostki miary, wagi, objętości i temperatury
Units of length, weight, volume and temperature

Długość			
Length			
mikrometr	µm	1 000 000 µg	= 1 m
milimetr	mm	1 000 mm	= 1 m
centymetr	cm	100 cm	= 1 m
metr	m		= 1 m
kilometr		1 km	= 1000 m

Most commonly converted units:
inches to centimeters,
feet to meters.

inch
1 in = 2,54 cm
1 cm = 0.39 in
centimeter

foot
1 ft = 0,3 m
1 m = 3.28 ft
meter

Waga			
Weight			
mikrogram	µg, mcg	1 000 000 µg	= 1 g
miligram	mg	1000 mg	= 1 g
gram	g		= g
dekagram	dag	10 g	= 1 dag
kilogram	kg	1000 g	= 1 kg

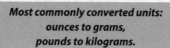

Most commonly converted units:
ounces to grams,
pounds to kilograms.

ounce
(1 oz = 28,35 g
 1 g = 0.4 oz)
gram

pound
(1 lb = 0,45 kg
 1 kg = 2.2 lb)
kilogram

Objętość
Volume

mikrolitr	µl	1 000 000 µl	= 1 l
mililitr	ml	1000 ml	= 1 l
litr	l		l
decylitr	dl	1 l	= 10 dl

Most commonly converted units:
pints to liters,
gallons to liters.

pint
(1 pt = 0,47 l
 1 l = 1.76 pt)
liter

UK gallon
(1 gal = 4,55 l
 1 l = 0.22 gal)
liter

US gallon
(1 gal = 3,79 l
 1 l = 0.26 gal)
liter

Temperatura
Temperature

The most commonly used temperature scales are:
- Celsius or centigrade scale – °C (freezing point 0°C);
- Fahrenheit scale – °F scale (freezing point 0°F).
The normal human body temperature is 36.6°C (98.6°F).
At 37°C elevated temperature starts.

Conversion formula

°Fahrenheit
($°F = (9/5 × °C) + 32$
 $°C = (°F – 32) × 5/9$)
°Celsius

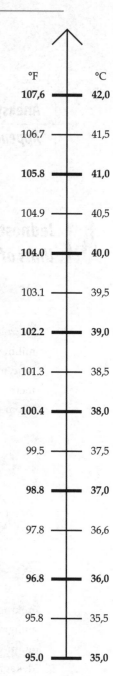

°F	°C
107,6	42,0
106.7	41,5
105.8	41,0
104.9	40,5
104.0	40,0
103.1	39,5
102.2	39,0
101.3	38,5
100.4	38,0
99.5	37,5
98.8	37,0
97.8	36,6
96.8	36,0
95.8	35,5
95.0	35,0

B | Układ okresowy pierwiastków
Table of elements

Symbol	Polish	English
H	Wodór	Hydrogen
He	Hel	Helium
Li	Lit	Lithium
Be	Beryl	Beryllium
B	Bor	Boron
C	Węgiel	Carbon
N	Azot	Nitrogen
O	Tlen	Oxygen
F	Fluor	Fluorine
Ne	Neon	Neon
Na	Sód	Sodium
Mg	Magnez	Magnesium
Al	Glin	Aluminium
Si	Krzem	Silicon
P	Fosfor	Phosphorus
S	Siarka	Sulfur
Cl	Chlor	Chlorine
Ar	Argon	Argon
K	Potas	Potassium
Ca	Wapń	Calcium
Sc	Skand	Scandium
Ti	Tytan	Titanium
V	Wanad	Vanadium
Cr	Chrom	Chromium
Mn	Mangan	Manganium
Fe	Żelazo	Iron
Co	Kobalt	Cobalt
Ni	Nikiel	Nickel
Cu	Miedź	Copper
Zn	Cynk	Zink
Ga	Gal	Gallium
Ge	German	Germanium
As	Arsen	Arsenic
Se	Selen	Selenium
Br	Brom	Bromine
Kr	Krypton	Krypton
Rb	Rubid	Rubidium
Sr	Stront	Strontium
Y	Itr	Yttrium
Zr	Cyrkon	Zirconium
Nb	Niob	Niobium
Mo	Molibden	Molybdenum
Tc	Technet	Technetium
Ru	Ruten	Ruthenium
Rh	Rod	Rhodium
Pd	Pallad	Palladium
Ag	Srebro	Silver
Cd	Kadm	Cadmium
In	Ind	Indium
Sn	Cyna	Tin
Sb	Antymon	Antimony
Te	Tellur	Tellurium
I	Jod	Iodine
Xe	Ksenon	Ksenon
Cs	Cez	Cesium
Ba	Bar	Barium
La	Lantan	Lanthanum
Hf	Hafn	Hafnium
Ta	Tantal	Tantalum
W	Wolfram	Wolfram
Re	Ren	Renium
Os	Osm	Osmium
Ir	Iryd	Iridium
Pt	Platyna	Platinum
Au	Złoto	Gold
Hg	Rtęć	Mercury
Tl	Tal	Thallium
Pb	Ołów	Lead
Bi	Bizmut	Bismuth
Po	Polon	Polonium
At	Astat	Astatine
Rn	Radon	Radon
Fr	Frans	Francium
Ra	Rad	Radium
Ac	Aktyn	Actinium
Rt	Rutherford	Rutherfordium
Db	Dubn	Dubnium
Sg	Siborg	Seaborgium
Bh	Bohr	Bohrium
Hs	Has	Hassium
Mt	Meitner	Meitnerium

C | Dokumentacja medyczna
Medical records

Miejscowość, dnia ....

Zaświadczenie

Zaświadcza się, że u Pan*/Pani*...
(Nazwisko i imię)

stwierdzono ....
(Rozpoznanie)

i z tego powodu niezdolny jest do pracy od .... do ....

....

*niepotrzebne skreślić   Podpis i pieczątka lekarza

City, date ....

Certificate of working disability

It is certified, that Mr/Mrs* *..
(Family name and first name)

was diagnosed ....
(Diagnosis)

and is unable to work from .... *to* ....

....

delete if not applicable   *Doctor's signature and stamp*

Imię i nazwisko pacjenta ....

PESEL ....

Oświadczenie

Upoważniam Panią*/Pana*/nie upoważniam* Pani*/Pana* ....

.... zam. w ....

tel. .... do otrzymania informacji o stanie mojego zdrowia i udzielonych świadczeń zdrowotnych.

Upoważniam Panią*/Pana*/nie upoważniam* Pani/Pana* ....

.... zam. w ....

do uzyskania dokumentacji w przypadku mojej śmierci.

....
Data   Podpis pacjenta/przedstawiciela ustawowego

*niepotrzebne skreślić

Patient's first name and family name ....

Personal identification number ....

Statement

I authorize/I don't authorize* Mrs*/Mr** ....

to receive information about my health condition and my treatment.

I authorize/I don't authorize* Mrs*/Mr** ....

to receive my medical records in the case of my death.

....
Date   *Signature of the patient/legal representative*

delete if not applicable

Miejscowość, dnia ....

Zaświadczenie o pobycie w szpitalu

Nazwisko i imię ....

Adres ....

Przebywał/a w szpitalu od dnia .... do ....

Rozpoznanie szpitalne ....

....

Podpis ....

City, date ....

Hospitalization certificate

Family and first name ....

Address ....

Was in hospital from .... *to* ....

Diagnosis ....

....

Signature ....

Pieczątka zakładu ...., dnia ....
Miejscowość

Zaświadczenie lekarskie

Nazwisko i imię ....

Data ur. .... Nazwa i nr dowodu tożsamości ....

....

zamieszkały/a ....

....

Rozpoznanie (wypełnić tylko gdy konieczne) ....

....

Cel wydania zaświadczenia ....

....

....
Pieczątka i podpis lekarza

Stamp of the health care provider ...., *date*............................
City

Medical certificate

Family and first name ....

DOB .... *Type and number of ID* ....

Address ....

....

Diagnosis (fill in only if necessary) ....

....

Reason for issuing the certificate ....

....

....
Doctor's stamp and signature

Pieczęć jednostki kierującej, adres, telefon, kod, nazwa komórki organizacyjnej, numer identyfikacyjny (UMOWY) świadczeniodawcy

........................., dnia .... 20.... r.
Miejscowość

Skierowanie do poradni specjalistycznej

....
nazwa poradni

Proszę o poradę specjalistyczną, objęcie leczeniem specjalistycznym*

Pani/Pana... lat ....

Adres ....

PESEL _ _ _ _ _ _ _ _ _ _ telefon ....

Rozpoznanie ....
W języku polskim

.... kod (ICD10) ....

Cel porady (uzasadnienie) ....

....

....

Badania dotychczas wykonane ....

....

....

....

....

* właściwe podkreślić

....
Czytelny podpis, pieczątka lekarza kierującego

Uwagi poradni specjalistycznej:

Data zgłoszenia się pacjenta ze skierowaniem ....

Wyznaczony termin porady ....

Reffered by: stamp with all the details

........................., *date* ....
                                        City

Referral to a specialist clinic

....
type of the clinic

I ask for a specialist opinion, specialist treatment* for

Mrs/Mr ....

Address ....

Personal Identification Number _ _ _ _ _ _ _ _ _ _ *tel.* ....

Diagnosis ....
                                        In Polish

.... *ICD10 code* ....

Due to (justification) ....

....

....

Examinations performed ....

....

....

....

....

* underline appropriate

....
Legible signature and stamp of referring doctor

Notes of specialist clinic:

Date of registration of the referral ....

Appointment date ....

Pieczęć jednostki kierującej, adres, telefon, ..., dnia .... 20.... r.
    kod, nazwa komórki organizacyjnej,   Miejscowość
        numer identyfikacyjny (UMOWY)
            świadczeniodawcy

Zlecenie na transport sanitarny

Proszę o przewiezienie chorego/chorej ....
                                                        Imię i nazwisko
.... lat ....

Adres ....

PESEL _ _ _ _ _ _ _ _ _ _ telefon ....

Rozpoznanie ....
                                        W języku polskim
.... kod (ICD10) ....

z ....
                                Nazwa jednostki, adres

w dniu .... o godzinie ....

w pozycji .... do ....

....

                                Nazwa jednostki, adres

Cel przewozu (uzasadnienie) ....

....

rodzaj transportu sanitarnego ....

....

....

                        ....
                                Czytelny podpis, pieczątka lekarza kierującego

........................., date ....
City

Medical transportation order

I ask for transportation of ....
First name and family name

....

Address ....

Personal Identification Number _ _ _ _ _ _ _ _ _ _ tel. ....

Diagnosis ....
In Polish

.... ICD10 code ....

from ....
Name of institution, address

on (date) .... at (hour) ....

in a .... position; to ....

....
Name of institution, address

The reason (justification) ....

....

Type of medical transportation ....

....

....

....
Doctor's legible signature and stamp

Pieczęć jednostki kierującej, adres, telefon, ..., dnia .... 20.... r.
kod, nazwa komórki organizacyjnej,   Miejscowość
numer identyfikacyjny (UMOWY)
świadczeniodawcy

Skierowanie do szpitala

Kieruję Pana/Panią ...., lat ....
Adres ....
PESEL _ _ _ _ _ _ _ _ _ _ telefon ....
Do szpitala, szpitala klinicznego, instytutu ....
....
Nazwa jednostki

w ....
Adres

oddział ....
Nazwa oddziału

Rozpoznanie ....
W języku polskim

.... kod (ICD10) ....
Termin uzgodnionego przyjęcia ....

....
Pieczątka i podpis lekarza

Reffered by: stamp with all the details ...., date ....
                                                        City

Referral to hospital

I refer Mr/Mrs ...., age..................

Address ....

Personal Identification Number _ _ _ _ _ _ _ _ _ tel. ....

To hospital, university hospital, institute ....

....
                                    Name of institution

in ....
                                    Address

ward ....
                                    Name of the ward

Diagnosis ....
                                    In Polish

.... ICD10 code ....

Appointment made for (date) ....

....
Doctor's legible signature and stamp

Pieczęć świadczeniodawcy

Karta informacyjna nr ....

Leczenia na szpitalnym oddziale ratunkowym

Data przyjęcia ...., godz. ....

PESEL ....

Nazwisko i imię .... Tel. ....

Adres ....

Rozpoznanie ....

....

.... kod ICD10 ....

Zastosowane postępowanie ....

....

....

....

.... kod ICD-9 ....

Zalecenia

....

....

....

Leki ....

....

....

....

Proszę się zgłosić do ....

w dniu ...., godz. .... na badania kontrolne.

Wyniki

....

....

....

....

Pieczątka i podpis lekarza

Stamp of the health care provider

Discharge summary no ....
Of the treatment in accident & emergency ward

Date of admission .... time ....

Personal Identification Number ....

Family and first name .... Tel. ....

Address ....

Diagnosis ....

....

.... ICD10 Code ....

Treatment/Management ....

....

....

....

.... ICD-9 Code ....

Recommendation

....

....

....

Medication ....

....

....

....

Come to ....

on (date) .... (hour) .... for a check-up.

Results

....

....

....

....

Doctor's legible signature and stamp

D | Fonetyka
Phonetics

Alfabet i wymowa
Alphabet and pronunciation

Letter	Name	Pronunciation (as in an English or a French word)	Polish examples	Your examples
a	a	*ah*	p**a**n, **a**systent, **a**fa**z**ja, **a**lkoholik	
ą	ą	*bon (French)*	z**ą**b, m**ą**ż, b**ą**bel,	
b	be	*bank*	**b**ól, **b**ank, **b**iegunka, **b**iałaczka	
c	ce	*Switzerland,*	**c**o, **c**ytryna, **c**órka, **c**ewnik, **c**ysta	
ć	cie	*cheap, cheese*	by**ć**, **ć**wier**ć**, **ć**wiczenia	
d	de	*dog, mind*	**d**om, **d**oktor, **d**ieta, **d**ializa	
e	e	*yes, better*	l**e**k, s**e**r, **e**f**e**kt, **e**gzamin	
ę	ę	*bien (French)*	l**ę**k, nast**ę**pny, naci**ę**cie	
f	ef	*fine*	**f**otel, **f**obia, **f**armaceuta	
g	gie	*get*	**g**en, **g**aza, **g**abinet, **g**ardło	
h	ha	*hall*	**h**ol, **h**erbata, **h**ormon, **h**el	
i	i	*key, please*	**i**le, **i**zba, **i**nsulina, **i**gła	
j	jot	*yellow, you*	**j**ak, **j**a**j**ko, **j**ednostka, **j**ama	
k	ka	*computer*	**k**ino, **k**to, **k**rew, **k**aszel	
l	el	*lamp*	**l**ampa, **l**ekarz, **l**eczenie	
ł	eł	*water, well*	**ł**yk, **łó**żko, **ł**opatka, **ł**ydka	
m	em	*mother*	**m**a**m**a, **m**alaria, **m**edycyna,	
n	en	*not*	**n**owy, **n**aczynie, **n**arząd	
ń	eń	*onion*	**ni**e, **ni**eoperacyjny, ropie**ń**	
o	o	*online*	**o**stry, **o**ddział, **o**braz, **o**dbyt	
ó	o z kreską	*soup*	m**ó**j, tw**ó**j, r**ó**życzka, r**ó**wny	
p	pe	*police*	**p**olicja, **p**lan, **p**okój, **p**ediatra	
r	er	*rabbit*	**r**ower, **r**ana, **r**opień, **r**ak, **r**amię	
s	es	*sky*	**s**ok, **s**to, **s**ala, **s**erce, **s**topa	

ś	eś	~she, sheep	coś, ktoś, siatkówka, sinica
t	te	turn	tu, ten, telefon, tabletka, trup
u	u	do	ulica, ucho, układ, urografia
w	wu	very, vase	wole, wapń, warga, wątroba
y	igrek	~bit, winter	syn, tył, tytoń, wysypka,
z	zet	lazy, zebra	zupa, ząb, zapalenie, zespół
ź	ziet	~pleasure	źle, źródło, źrenica, maź
ż	żet	pleasure	może, pomoże, żołądek, żyła

Polish alphabet is based on Latin alphabet. Some letters have special diacritical marks and some double letters are pronounced as one sound.

This is the complete 32-letter Polish alphabet:

a, ą, b, c, ć, d, e, ę, f, g, h, i, j, k, l, ł, m, n, o, ó, p, q, r, s, ś, t, u, w, y, z, ź, ż.

Polish system includes:

- 8 vowels
- 24 consonants
- 2 additional consonants used only in foreign words: v, x
- 9 diagraphs (double letters pronounced as one):

Diagraphs	Pronunciation (as in an English word)	Polish examples	Your examples
ch	hall	chleb, choroba	
cz	church	cztery, poczekalnia, czaszka, czerwony	
dz	woods	bardzo, dzwon	
dż, drz	jam	dżem, drzwi, dżuma	
dź, dzi	~gene	dzień, gdzie, dziecko, dziąsło	
sz	shop	szpital, szmer, szyja, szok, szpik	
rz	pleasure	dobrze, rzęsa, rzepka, rzężenie	

Some letters or diagraphs are pronounced identically in spite of different spellings: ó = u, ż = rz, ch = h

Facts about vowels:

- they are of the same length (no long vowels!),
- six are oral [a, e, I, o(ó), u, y] and two are nasal (ą, ę),
- their places of articulation are presented below:

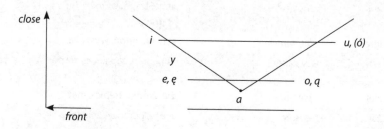

Polish speech sounds are classified as:

Type	Sounds	Characteristics
voiced	b, d, g, w, z, ź, ż, l, ł, m, n, a, e, i	*vibrant consonants and all vowels*
voiceless	p, t, k, f, s, ś, sz, c, ć, cz, ch	*non-vibrant consonants*
hard	p, b, f, n, k, g, t, d	
soft	ć, dź, ś, ż, ń,	*palatal; all consonants with a diagonal line above (ń) or followed by i (ni)*
oral	a, e, i, o, u, y	
nasal	ą, ę, m, n, ń	*air escapes through the nose*
sonorant	m, n, l, ł, r	*voiced without voiceless equivalents*

Assimilation often takes place within words or between them, e.g.:

- *vibration:* babka [ba**p**ka], wtorek [**f**torek], przepraszam [p**sz**epraszam];
- *nasality:* prośba [pro**ż**ba], liczba [li**dż**ba].

Final voiced consonant becomes voiceless, e.g.:

- chleb [chle**p**], gaz [ga**s**], lekarz [leka**sz**], obchód [opchó**t***]*

but with the exception of sonorants e.g.:

- szpital [szpita**l**], profesor [profeso**r**].

Most words are stressed on the next-to-last syllable, e.g.:

- sz**pi**tal, pro**fe**sor.

A sentence that includes all Polish letters, used once only:

- Pójdźże, kiń tę chmurność w głąb flaszy. *(Rough translation: Come on and drop your sadness into the depth of a bottle).*

Pary minimalne
Minimal pairs

bada – pada
bada – wada
bal – pal
banany – badany
beczka – teczka
bok – bąk
bok – buk
boli – goli
brona – wrona
bucik – budzik
bułka – półka
burza – buzia
buty – budy
buty – póty
chrapie – chlapie
cień – dzień
czapka – żabka
cześć – część
dama – gama
drób – grób
dróżka – gruszka
fale – sale
fale – szale
gruba – grupa
jama – lama
jama – rama
kaczka – taczka
karty – narty
kasa – kasza
kasa – kosa
kaszka – kaczka
kat – kot
koc – kot
kocioł – kozioł
kora – kura

kos – kosz
kos – kot
kosa – kąsa
koza – kosa
kra – gra
kran – kram
kratka – klatka
kromka – kropka
król – kruk
kufel – kufer
kuje – kłuje
kura – kula
kury – góry
leki – loki
lipy – lepy
liski – liszki
łata – wata
ławka – łapka
łyżka – łóżka
mak – hak
mak – rak
maska – matka
mąka – męka
miecz – mlecz
młot – płot
murek – burek
murek – nurek
noc – nos
nosze – noże
Ola – Ula
paczka – kaczka
paczka – taczka
pada – bada
pada – gada
pan – pas

pas – bas
pąk – bąk
piece – piecze
pies – piec
pieści – pięści
pije – bije
pije – kije
piórko – biurko
proszki – prążki
pudel – puder
sieci – siedzi
szafy – szachy
szałas – hałas
szczeka – szczęka
szóstka – chustka
taca – tata
tacka – taczka
tama – dama
tama – gama
teczka – tyczka
Tomek – domek
tonie – fonie
tran – kran
uszko – łóżko
wagony – zagony
walec – malec
wata – mata
wazy – waży
wąs – wąż
wiesza – wieża
wije – bije
wije – pije
wir – wór
zebra – żebra
zęby – dęby

Łamańce językowe
Tongue twisters

Polish	English
Cesarz czesał cesarzową.	*The emperor was combing his wife.*
Cieszę się, że ci się spodobało.	*I am glad that you enjoyed it.*
Cieszę się, że się cieszysz.	*I'm happy that you're happy.*
Cóż, że ze Szwecji?	*So what, that (he/she/it is) from Sweden?*
Czarna krowa w kropki bordo gryzie trawę, kręcąc mordą.	*A black claret-speckled cow was chewing grass, turning its muzzle.*
Czarny dzięcioł z chęcią pień ciął.	*A black woodpecker was willingly cutting the trunk.*
Czego trzeba strzelcowi do zestrzelenia cietrzewia drzemiącego w dżdżysty dzień na drzewie.	*What does a rifleman need to shoot down a black grouse which is having a nap in a tree on a rainy day.*
Czy się Czesi cieszą, że się Czesio czesze?	*Do Czechs rejoyce that Czesio combs his hair?*
Czy trzy cytrzystki grają na cytrze, czy czytają cytaty z Tacyta?	*Are the three zither-woman-players playing the zither or reading quotations from Tacitus?*
Ćma ćmę ćmi.	*A moth tries to tease a moth.*
Dziewięćsetdziewięćdziesięciodziewięciotysięcznik.	*Nine-hundred-ninety-nine-thousand.*
Dzięcioł pień ciął.	*A woodpecker cut the stump.*
Grzegorz Brzęczyszczykiewicz, Chrząszczyżewoszyce, powiat Łękołody.	*Grzegorz Brzęczyszczykiewicz (personal name) Chrząszczyżewoszyce in the district Łękołody.*
Grzegorz Gżegżółkiewicz grzebał grzebieniem w grzybie, gdyż ugrzązł w grząskiej grzędzie.	*Gregory Gżegżółkiewicz fumbled with a comb in mushroom because he got stuck in bed.*
Jerzy nie wierzy, że na wieży jest gniazdo jeży.	*Jerzy doesn't believe that there is a hedgehog's nest on the tower.*
Jerzy nie wierzy, że na wieży leży sto talerzy.	*Jerzy doesn't believe that one hundred plates are lying on the tower.*
Jola lojalna i Jola nielojalna.	*Loyal Jola and disloyal Jola.*
Jola lojalna, nielojalna Jola.	*Loyal Jola, disloyal Jola.*
Konstantynopolitańczykowianeczka.	*A little daughter of inhabitant of Constantinople.*
Koszt poczt w Tczewie.	*The cost of post offices in Tczew.*
Król Karol kupił królowej Karolinie korale koloru koralowego.	*King Charles bought coral-colored beads for queen Charlotte.*
Lepszy wyż niż niż.	*Anticyclone is better than depression.*
Ma mama ma mamałygę.	*My mother has mamalyga.*
Na strychu stacji straszy duch druha Stacha.	*Stach's ghost is haunting in the railway's attick.*

Nie pieprz Pietrze wieprza pieprzem, bo przepieprzysz wieprza pieprzem.	Peter, don't pepper the pork with pepper, because you'll over-pepper the pork with pepper.
Pchła pchłę pchała, pchła płakała.	A flea pushed a flea, the flea cried.
Pocztmistrz z Tczewa, Rotmistrz z Czchowa.	A mailman from Tczew, Rotmistrz from Czchów.
Powiedziała pchła pchle: pchnij, pchło, pchłę pchłą. Pchła pchnęła pchłę pchłą – i po pchle!	One flea told another one: flea, push a flea with a flea! So the flea pushed a flea with another flea – and there is no flea!
Pójdźże, kiń tę chmurność w głąb flaszy.	Come on and drop your sadness into the depth of a bottle.
Przeleciały trzy pstre przepiórzyce przez trzy pstre kamienice.	Three multi-colored quails flew through three multi-colored tenement houses.
Przez przemyską pszenicę przeszła przemycona przez praśną przełęcz przeorysza przedniego zakonu.	Through Przemysl wheat came a prioress of a leading order smuggled through a pass of wheat.
Przyszedł Herbst z pstrągami, słuchał oszczerstw ze wstrętem, przeszukując szczeliny w strzelnicy.	Herbst came with trouts, he listened to slander with disgust while searching through the holes in the shooting gallery.
Rozrewolwerowany rewolwerowiec z rozrewolwerowanym rewolwerem.	A broken gunman with a broken revolver.
Spadł bąk na strąk, a strąk na pąk. Pękł pąk, pękł strąk, a bąk się zląkł.	A bumble-bee fell on a pod and the pod fell on a bud. The bud burst and the pod burst and the bumble-bee got frightened.
Spod czeskich strzech szło Czechów trzech.	From Czech huts came three Czechs.
Stół z powyłamywanymi nogami.	A table with broken legs.
Szaławiła grał na bałałajce, połykając ser półtłusty.	A giddy-head was playing balalaika, swallowing semi-skimmed cheese.
Szczoteczka szczoteczce szczebioce coś w teczce.	A toothbrush twitters something to another toothbrush in a briefcase.
Szedł Sasza suchą szosą, bo gdy susza szosa sucha.	Sasha walked down a dry street.
Ta ramka tu, ta ramka tam.	This frame here, that frame there.
Tata, czy tata czyta cytaty Tacyta?	Does dad read quotations from Tacitus?
Ten rewolwer jest wyrewolwerowany.	The revolver is broken.
W czasie suszy suchą szosą szedł Sasza.	Sasza was walking down a dry road in a drought.
W czasie suszy szosa sucha.	In a drought the road is dry.
W Ostrogu na rogu trąbili trębacze: tra ra ra...	In Ostróg trumpeters were blowing their trumpets: tra ra ra...
W Szczebrzeszynie chrząszcz brzmi w trzcinie i Szczebrzeszyn z tego słynie.	In Szczebrzeszyn a beetle sounds in the reeds and Szczebrzeszyn is famous for that.
Wpadł ptak do wytapetowanego pokoju.	A bird flew into a wallpapered room.
Wyeliminowaliśmy się z rozentuzjazmowanego tłumu.	We eliminated ourselves from the enthusiastic crowd.

Wyindywidualizowaliśmy się z rozentuzjazmowanego tłumu.	*We separated ourselves from the enthusiastic crowd.*
Z rozentuzjazmowanego tłumu wyindywidualizował się niezidentyfikowany prestidigitator, który wyimaginował sobie samounicestwienie.	*From the enthusiastic crowd, an unidentified magician separated, who imagined his selfdestruction.*
Zawierucha dmucha koło ucha.	*A snowstorm is blowing in the ear.*
Ząb, zupa zębowa. Dąb, zupa dębowa.	*A tooth, teeth soup. An oak, oak soup.*

E | Porównania i idiomy
Comparisons and idioms

Porównania	*Comparisons*	Przykłady/*Examples*
blady jak ściana/śmierć	*as white as a sheet/death*	Gdy wstał rano, był blady jak ściana.
boli jak diabli	*hurts like hell*	Ta rana pooperacyjna boli jak diabli.
chory jak pies/psiak	*as sick as a dog*	Bardzo źle się czuję od kilku dni, jestem chory jak pies.
chudy jak szczapa	*all skin and bones*	Po wyjściu ze szpitala była chuda jak szczapa.
czysty jak łza	*as clear as a bell*	Czy to woda? Tak, czysta jak łza.
głuchy jak pień	*as deaf as a pole*	Mój dziadek jest głuchy jak pień.
gruby jak świnia/wieprz	*as fat as a pig*	Po tych sterydach jest gruby jak świnia.
łysy jak kolano	*as bold as a coot*	Ma 40 lat i jest już łysy jak kolano.
pjany jak bela/świnia/ /pijany w trupa	*as drunk as a skunk/fox/fish*	Wypiła tylko trzy drinki i była pijana w trupa.
ślepy jak kret	*as blind as a bat*	On nic nie widzi. Jest ślepy jak kret.
uparty jak osioł	*as stubborn as a mule*	Nie przekonasz go. Jest uparty jak osioł.
zdrowy jak koń/ryba	*as healthy as a horse*	On ma już 70 lat, a wciąż jest zdrowy jak koń.

Idiomy	*Idioms*	Przykłady/*Examples*
bić kogoś na głowę	*to outdo the others*	Jesteśmy najlepszym ośrodkiem laparoskopii, bijemy innych na głowę.
być jedną nogą na tamtym świecie	*to be at the death's door*	On przedwczoraj był już jedną nogą na tamtym świecie.
być kłębkiem nerwów	*to be a bundle of nerves*	Po 10 latach pracy jako chirurg jest kłębkiem nerwów.

być oczkiem w głowie	*to be a blue-eyed boy*	To ich jedyne dziecko, jest oczkiem w głowie całej rodziny.
być w formie	*to be in shape*	Świetnie mu poszło. Widać, że jest w formie.
co dwie głowy, to nie jedna	*two heads are better than one*	Zapytam kolegę o zdanie, co dwie głowy, to nie jedna.
czuć w kościach	*to feel sth in one's bones*	Czuję w kościach, że będzie padać.
do góry nogami	*upside down*	Zrobiłam straszny bałagan, wszystko przewróciłam do góry nogami.
doprowadzać do białej gorączki	*to go ballistic, to go off the deep end*	Jego niekompetencja doprowadza mnie do białej gorączki.
działać komuś na nerwy	*to get on sb's nerves*	Stażyści działają doświadczonym lekarzom na nerwy.
dzielić włos na czworo	*to split hairs*	Nie dziel włosa na czworo, ta sprawa nie jest tego warta.
kłamać w żywe oczy	*to lie through one's teeth*	Nie możesz wierzyć tej pacjentce. Ona kłamie w żywe oczy.
kość niezgody	*a bone of contention*	Nowe warunki kontraktów były kością niezgody.
krok po kroku	*step by step*	Młodzi adepci sztuki lekarskiej uczą się wszystkiego krok po kroku.
ledwo trzymać się na nogach	*to be on one's last legs*	Po dwóch dyżurach na pogotowiu ledwo trzymam się na nogach.
maczać w czymś palce	*to have a finger in the pie*	Nie wiesz przypadkiem, kto maczał w tym palce?
marzenie ściętej głowy	*a pipe dream*	Specjalizacja z chirurgii plastycznej? Oj, to marzenie ściętej głowy.
mieć coś w małym palcu	*to have sth at one's fingertips*	Neuroanatomia? Spytaj Karola, on ma to w małym palcu.
mieć coś we krwi	*to have sth in one's bond*	Świetnie to zrobiłeś, chłopie! Masz to we krwi.
mieć coś/kogoś z głowy	*to get rid of sth/sb*	Nie mogę się doczekać, kiedy będę miał ten egzamin z głowy.
mieć duszę na ramieniu	*to have one's heart in one's mouth*	Zaraz po wypadku miałem duszę na ramieniu.
mieć głowę na karku	*to have a good head on one's shoulders*	Ten młody ratownik naprawdę ma głowę na karku.
mieć muchy w nosie	*don't get your panties in a bunch (US)/don't get your knickers in a snit (GB)*	Nie przejmuj się, on ma dzisiaj muchy w nosie.
mieć pustkę w głowie	*sb's mind went blank*	Na egzaminie miałem pustkę w głowie.

mydlić komuś oczy	to pull the wool over sb's eyes	Tą historią o śmierci siostry mydli wam tylko oczy.
na bok!	step aside!/out of the way!	Kolego, zejdź mi z drogi. Na bok!
na całe gardło	at the top of one's voice	Tak go bolało, że krzyczał na całe gardło.
na drugą nóżkę!	let's drink another one (col)	Wypijemy jeszcze, co? No, to teraz na drugą nóżkę.
na pierwszy rzut oka	at first sight	Na pierwszy rzut oka wydawała się zdrowa.
nadepnąć komuś na odcisk	to step on sb's toes	Otwierając prywatną klinikę, nadepnął wielu na odcisk.
nauczyć się na pamięć	to learn by heart	Enzymy? Nie, musisz się nauczyć tego na pamięć, innej drogi nie ma.
nie kiwnąć/ruszyć palcem	not to lift a finger	Widział, jak dziewczyny się męczą, ale nie kiwnął nawet palcem.
nie posunąć się ani o krok	not to move an inch	Od wczoraj nie posunęliśmy się ani o krok.
noga się komuś powinęła	sb's luck ran out	W końcu powinęła się jej noga, a nie mówiłem?
owinąć sobie kogoś wokół małego palca	to wrap sb around one's little finger	O tak, ona potrafi sobie owinąć mężczyznę wokół palca.
palcem na wodzie pisane	written on the wind	Obietnice dyrekcji są palcem na wodzie pisane.
pilnować własnego nosa	to mind one's own business (col)	Nie wtrącaj się w sprawy starszych, pilnuj własnego nosa.
podać przyjazną dłoń	to give sb a helping hand	Gdy miałam poważne problemy, to on mi pomógł, podał mi przyjazną dłoń.
przejść koło nosa	miss the opportunity (col)	Okazja na świetną pracę przeszła mi koło nosa.
przeprosić (kogoś) na kolanach	to go on knees and beg forgiveness	Idź i przeproś ją na kolanach – uratowała twoją głowę.
przy kości	stout	Nowy ordynator jest młodym mężczyzną, ale przy kości.
przymknąć oko na coś	to turn a blind eye to sth	Nie wiem, czy można na to przymknąć oko, to poważne naruszenie zasad.
spaść na cztery łapy	to land on one's feet	Nie martw się o Kaśkę, zawsze spada na cztery łapy.
stanąć na głowie	to stand on one's head	Próbowaliśmy wszystkiego. Jego rodzice stanęli na głowie i kupili potrzebny lek.
stanąć na własnych nogach	to be back on one's feet	Dzięki ciężkiej pracy udało mu się wyjść z długów i stanąć na własnych nogach.

świętej pamięci	late	Książkę poświęcili świętej pamięci profesorowi X, swojemu wychowawcy.
trzymać język za zębami	to hold one's tongue	To jest tajemnica lekarska, więc trzymaj język za zębami.
trzymać kciuki (za kogoś)	to keep one's fingers crossed (for sb)	Trzymam za nią kciuki, bo właśnie zdaje egzamin komisyjny.
upaść na głowę	to be nuts	Chyba na głowę upadłeś, jeśli myślisz, że wezmę za ciebie ten dyżur.
w cztery oczy	face to face	Z niektórymi pacjentami najlepiej porozmawiać spokojnie, w cztery oczy.
wbić komuś nóż w plecy	to stab sb at the back	Negocjując z dyrekcją podczas strajku, wbił kolegom nóż w plecy.
wziąć się w garść	to pull oneself together	Musisz wziąć się w garść, bo inaczej nie zdążysz tego zrobić na czas.
z zimną krwią	in cood blood	Zamordował go z zimną krwią.
zarabiać na boku	to make sth on the side	To nie są uczciwi ludzie, każdy z nich zarabia na boku.

F | Polacy zasłużeni dla medycyny
Distinguished Poles in medicine

Józef Babiński (1857–1932) – urodzony w Paryżu syn polskich emigrantów. Światowej sławy neurolog, neurofizjolog i neuropatolog, uważany za ojca neurologii.

Odkrył i opisał wiele chorób i objawów neurologicznych nazwanych jego imieniem, np.: objaw Babińskiego, zespół Antona-Babińskiego, zespół Babińskiego-Fröhlicha, zespół Babińskiego-Fromenta, zespół Babińskiego-Vaqueza.

Józef Babiński jest autorem ponad 200 publikacji z zakresu fizjologii układu nerwowego i neuropatologii. Pełnił funkcję profesora neurologii paryskiego uniwersytetu.

Cierpiał na chorobę Parkinsona.

Józef Babiński (1857–1932) – born in Paris, a son of Polish emigrants. World-famous neurologist, neurophysiologist, neuropathologist who set the ground for the development of neurology.

He discovered and described many neurological conditions and symptoms that were named after him, e.g. Babinski's sign, Anton-Babinski syndrome, Babinski-Fröhlich syndrome, Babinski-Froment syndrome, and Babinski-Vaquez syndrome.

Józef Babiński authored over 200 published papers on nervous system physiology and neuropathology. He was a professor of neurology at the University of Paris.

He suffered from Parkinson's disease.

Adolf Abraham Beck (1863–1942) – polski fizjolog, neurofizjolog, uczeń i asystent prof. Napoleona N. Cybulskiego.

Jako student odkrył zjawisko desynchronizacji czynności elektrycznej mózgu w odpowiedzi na działanie stymulujące bodźca. Zasłynął wykorzystaniem elektrofizjologii do lokalizacji ośrodków funkcji w mózgu. Był pracownikiem Uniwersytetu Jagiellońskiego, Uniwersytetu Lwowskiego i Akademii Medycyny Weterynaryjnej we Lwowie.

Jest autorem podręczników i wielu publikacji naukowych z zakresu fizjologii i neurofizjologii.

W czasie II wojny światowej został uwięziony przez Niemców w obozie koncentracyjnym „KZ Janowska", gdzie popełnił samobójstwo.

Adolf Abraham Beck (1863–1942) – Polish physiologist and neurophysiologist; assistant and student of prof. Napoleon N. Cybulski.

As a student he discovered and described desynchronisation of brain electrical activity in response to external stimuli. He made his name in the field of electrophysiology by localizing functional areas of the brain.

In his academic career he worked at several universities: the Jagiellonian University of Cracow, the University of Lviv and the University of Veterinary Medicine in Lviv. Author and co-author of numerous handbooks and papers.

During World War II imprisoned in the German concentration camp "KZ Janowska", where he committed suicide.

Edmund Faustyn Biernacki (1866–1911) – polski lekarz, patolog, diagnosta i neurolog, filozof medycyny. Opisał przydatność diagnostyczną szybkości opadania erytrocytów (OB).

Studiował medycynę na Uniwersytecie Warszawskim. Dzięki stypendium pracował u takich sław jak Wilhelm Erb, Wilhelm Kühne, Jean-Martin Charcot i Georges Hayem.

Od 1902 r. mieszkał we Lwowie, w 1908 r. został profesorem nadzwyczajnym Uniwersytetu Lwowskiego.

Jako pierwszy zaobserwował związek między szybkością opadania krwinek w osoczu a ogólnym stanem zdrowia. Stwierdził, że wartości powyżej normy mogą wskazywać na obecność stanu zapalnego.

Zajmował się także filozofią medycyny, należał do polskiej szkoły filozofii medycyny.

Edmund Faustyn Biernacki (1866–1911) – Polish neurologist, pathologist, diagnostician and philosopher of medicine. Known for discovering the erythrocyte sedimentation rate (ESR).

He graduated from the University of Warsaw, the Faculty of Medicine. He received a scholarship which allowed him to work with famous doctors of his time: Wilhelm Erb, Wilhelm Kühne, Jean-Martin Charcot and Georges Hayem.

Edmund Biernacki moved to Lviv in 1902, became a professor in 1908.

He was the first to discover a correlation between ESR and patients' general health condition. He observed that elevated values may indicate a presence of inflammatory condition.
Biernacki was a member of the Polish school of medical philosophy.

———

Napoleon Nikodem Cybulski (1854–1919) – polski fizjolog, współtwórca endokrynologii i elektrofizjologii, odkrywca adrenaliny; zaangażowany społecznik, zwolennik udziału kobiet w życiu publicznym.

Studia medyczne odbył w Akademii Wojskowo-Medycznej w Petersburgu, którą ukończył w 1880 r. W 1885 r. przeprowadził się do Krakowa i stanął na czele Katedry Fizjologii Uniwersytetu Jagiellońskiego.

Jest odkrywcą hormonalnej roli nadnerczy, a wraz z Władysławem Szymonowiczem wyizolował adrenalinę. Posługiwał się również metodą encefalografii, opisywał zapis czynności elektrycznej kory mózgowej. Jest autorem około 100 prac naukowych.

Odznaczono go pośmiertnie Krzyżem Komandorskim Orderu Polonia Restituta.

Napoleon Nikodem Cybulski (1854–1919) – Polish physiologist, research pioneer in the fields of endocrinology and electrophysiology. Discoverer of adrenalin. Active social and women's rights activist.

He graduated in 1880 from the Military-Medical Academy in St. Petersburg. In 1885 he became head of the Physiology Department at the Jagiellonian University of Cracow.

He discovered the endocrynological function of suprarenal glands, in cooperation with Władysław Szymonowicz he isolated epinephrine. Pioneer of EEG recording; author of over 100 research papers.

Napoleon N. Cybulski was posthumously awarded the Commander's Cross of the Order of Polonia Restituta.

———

Kazimierz Funk (1884–1967) – polsko-amerykański biochemik żydowskiego pochodzenia, jako pierwszy naukowiec stworzył pojęcie „witamina".

Europejską karierę naukową rozpoczął badaniami nad przyczynami nieznanej wówczas choroby beri-beri. Odniósł sukces, wyodrębniając czynnik za nią odpowiedzialny. Ponieważ zawierał on grupę aminową, Funk nazwał substancję nowym terminem, który sam stworzył: „witamina" (łac. *vita* – życie, amina – związek chemiczny zawierający grupę aminową). Nazwę tę wprowadził w 1912 r. Później ten związek nazwano witaminą B_1.

Zajmował się leczeniem chorych na awitaminozy. Sformułował hipotezę, że brak lub niedobór witamin może powodować inne choroby: krzywicę, szkorbut, pelagrę. Przewidywał występowanie innych niezbędnych składników odżywczych, które były później znane jako witaminy B_2, C i D. Jako pierwszy wyizolował kwas nikotynowy (znany również jako niacyna lub witamina B_3).

Funk prowadził również badania nad hormonami, cukrzycą (próby wyizolowania insuliny), wrzodami i etiologią raka.

Po wybuchu II wojny światowej wyemigrował do Stanów Zjednoczonych, gdzie kontynuował karierę naukową.

Kazimierz Funk *(1884–1967) – Polish-American biochemist of Jewish descent, the first to formulate the concept of "vitamin".*

He started his European scientific career with research on the then unknown ailment beri-beri; he succeeded in isolating the responsible substance. As it contained an amine group, Funk named it with a new term he coined himself: vitamine (Lat: vita – life, amine – chemical group). He introduced this term in 1912. The discovered substance was later known as vitamin B_1.

In his work he focused on treating avitaminosis patients. He put forward the hypothesis that other diseases, like rickets, scurvy and pellagra could also be caused by lack or deficiency of vitamins. He postulated the existence of other essential nutrients, which became known as vitamins B_2, C, and D. He was the first to isolate nicotinic acid (also called niacin or vitamin B_3).

Funk also conducted research into hormones, diabetes (attempts to isolate insulin), ulcers, and the etiology of cancer.

After the outbreak of World War II, Kazimierz Funk emigrated to the USA where he continued his scientific career.

––––––––

Ludwik Hirszfeld (1884–1954) – lekarz, bakteriolog, serolog i immunolog, ojciec nowej dziedziny nauki – seroantropologii.

Studiował medycynę w Würzburgu i Berlinie. Pracował przy zwalczaniu duru plamistego w Serbii podczas I wojny światowej. Po 1918 r. współtworzył Państwowy Zakład Higieny. Podczas II wojny światowej został uwięziony przez hitlerowców w getcie, gdzie dalej uczył i leczył chorych na tyfus. W 1942 r. udało mu się z getta uciec. Po wojnie został dziekanem Wydziału Lekarskiego Uniwersytetu Medycznego we Wrocławiu.

Do jego najważniejszych osiągnięć naukowych należy odkrycie grup krwi (AB0) i czynnika Rh. Wytłumaczył przyczynę konfliktu serologicznego.

W 1943 r. napisał autobiografię „Historia jednego życia", opublikowaną w 1946 r.

Ludwik Hirszfeld *(1884–1954) – Polish doctor, microbiologist, immunologist, founder of the new discipline – seroanthropology.*

Ludwik Hirszfeld studied in Würzburg and Berlin. During World War I, he heped fight a typhus epidemic in Serbia. After Poland regained independence in 1918, he co-founded the National Hygiene Institute. During World War II, he was imprisoned in the ghetto by the Nazis, where he continued teaching and fighting typhus. He escaped in July 1942. After the war, he moved to Wrocław, became a Dean of the Medical Faculty of the Medical University.

The discovery of blood groups (ABO) and Rh factor are his greatest achievements. He explained the phenomenon of serological conflict.

In 1943 he wrote his autobiography "A History of One Life", published in 1946.

Antoni Kępiński (1918–1972) – polski psychiatra, humanista i filozof. Twórca koncepcji metabolizmu energetyczno-informacyjnego, a także psychiatrii aksjologicznej.

Jego studia na Uniwersytecie Jagiellońskim przerwał wybuch wojny. Był ochotnikiem w kampanii wrześniowej; internowany na Węgrzech, więziony w obozie koncentracyjnym w Hiszpanii. Po zwolnieniu z obozu skończył studia w Edynburgu. Niedługo potem wyjechał do Krakowa i rozpoczął pracę w *Collegium Medicum* Uniwersytetu Jagiellońskiego. Brał udział w programie leczenia więźniów obozu „KZ Auschwitz-Birkenau", ofiar zbrodni popełnionych przez nazistów w największym obozie koncentracyjnym.

Jest autorem ponad 140 książek i publikacji. Odznaczono go Orderem Odrodzenia Polski i Złotym Krzyżem Zasługi.

Antoni Kępiński (1918–1972) – Polish psychiatrist, philosopher and humanist.

Antoni Kępiński is known for his theory of energetic-informational metabolism and axiological psychiatry.

His studies were interrupted by the outbreak of World War II. He volunteered in September 1939 and was a prisoner of war in Hungary, imprisoned in a concentration camp in Spain. When released from the Spanish camp, he moved to Scotland. He graduated in Edinburgh. Shortly afterwards, he went to Cracow, where he started working at the Jagiellonian University Medical College. He participated in a health program for ex-prisoners of the "KZ Auschwitz-Birkenau" concentration camp, directed at victims of crimes committed in the biggest Nazi concentration camp.

Author of over 140 books and papers. He was awarded the Commander's Cross of the Order of the Polonia Restituta and the Gold Cross of Merit.

Janusz Korczak (1878–1942), prawdziwe nazwisko **Henryk Goldszmit**, znany też jako Stary Doktor lub Pan Doktor – polski lekarz pediatra pochodzenia żydowskiego, pedagog i pisarz.

Korczak studiował medycynę na Uniwersytecie Warszawskim. Po otrzymaniu dyplomu w 1905 r. powołano go do rosyjskiej armii, gdzie służył jako lekarz wojskowy w czasie wojny rosyjsko-japońskiej.

W 1911 r. zdecydował, że nie założy własnej rodziny i poświęci się dzieciom, które leczył i wychowywał. Założył sierociniec dla dzieci żydowskich i został dyrektorem Domu Sierot, w którym wprowadził samorządy wychowanków z własną gazetą, sądem i parlamentem.

Podczas I wojny światowej Korczak został powtórnie wcielony do rosyjskiego wojska. Po odzyskaniu niepodległości przez Polskę, w trakcie wojny polsko-bolszewickiej, służył jako lekarz w wojsku polskim.

Wybuch II wojny światowej zastał Korczaka i jego wychowanków w Domu Sierot. Gdy w 1940 r. Niemcy utworzyli warszawskie getto, Dom Sierot został do niego przeniesiony. Korczak, który spędził wiele lat, żyjąc i pracując z wychowankami, zrezygnował z oferowanej mu wolności i pozostał z dziećmi nawet w momencie, gdy wysłano je do obozu koncentracyjnego w Treblince w sierpniu

1942 r. Mimo że proponowano mu wolność, nie porzucił swoich 192 wychowanków – przeciwnie, towarzyszył im do tragicznego końca.

Deportację do obozu śmierci opisał W. Szpilman w książce „Pianista", której
ekranizacja przyniosła Romanowi Polańskiemu statuetkę Oskara.

Jako pisarz Korczak jest najbardziej znany z publikacji pedagogicznych
i literatury dziecięcej. W swoich pracach pedagogicznych dzielił się poglądami
i doświadczeniami w pracy z dzieckiem trudnym. Jego podejście znalazło wielu
naśladowców.

Jego powieści dla dzieci były bardzo popularne i zdobyły międzynarodowy
rozgłos. Dwie z nich przetłumaczono na język angielski: „Kajtuś czarodziej"
(pierwowzór Harrego Pottera) i „Król Maciuś Pierwszy". W formie lekkiej bajki
Korczak przygotowywał młodych czytelników do radzenia sobie z problemami
i trudnościami dorosłego życia i do konieczności podejmowania odpowiedzial-
nych decyzji.

Jest wiele prac poświęconych Korczakowi inspirowanych jego postawą
i opowiadających o jego życiu, m.in. film „Korczak" reżyserowany przez Andrzeja
Wajdę, do którego scenariusz napisała Agnieszka Holland.

Janusza Korczaka uhonorowano, nadając jego imię asteroidzie 2163.

*Janusz Korczak (1878–1942), the pen name of **Henryk Goldszmit**, also known as Pan
Doktor ("Mr. Doctor") or Stary Doktor ("Old Doctor") – Polish-Jewish pediatrician, educator
and author.*

*Korczak studied medicine at the University of Warsaw. After his graduation in 1905 he was
drafted to the Russian army and served as a military doctor during the Russo-Japanese War.*

*In 1911 he decided not to have a family of his own, but to devote his life to children he
treated and took care of. He established an orphanage for Jewish children (the Orphans Home)
and became its director. There he formed a self-government of children with its own newspaper,
court and parliament.*

*During World War I, Korczak was drafted to the Russian army once again. When Poland
gained independence and was involved in a war with the Soviets, Korczak served as a military
doctor in the Polish Army.*

*At the outbreak of World War II, Korczak was with his orphans in the Orphans Home. When
the Germans created the Warsaw Ghetto in 1940, the institution was moved to the Ghetto. After
spending many years working and living with children, he rejected freedom and stayed with
his orphans even when the children were sent to the Treblinka extermination camp, in August
1942. Though Korczak had been offered sanctuary, he didn't abandon his 192 children – on the
contrary, he accompanied them to the tragic end.*

*This deportation to the death camp was mentioned in W. Szpilman's book "The Pianist"
turned into an Oscar-winning film by Roman Polański.*

*Korczak as an author is best known for his pedagogical texts and children's fiction. In his
pedagogical works, Korczak shares his ideas and experience in dealing with children requiring
much attention. His approach had numerous followers.*

*His novels for children are widely known and internationally recognized. Two of them
have been translated into English: "Kaytek the Wizard" (a forerunner to Harry Potter) and "King
Matt the First". In the light form of a fairy tale Korczak was preparing his young readers for the
dilemmas and difficulties of real adult life, and the need to make responsible decisions.*

There is a number of works about Korczak, inspired by him, or featuring him as a character including the film "Korczak", directed by Andrzej Wajda, screenplay by Agnieszka Holland. Korczak was also honored by having asteroid 2163 named after him.

Antoni Leśniowski (1867–1940) – polski chirurg, w latach 1919–1936 profesor chirurgii na Uniwersytecie Warszawskim.

Po studiach kontynuował edukację w Berlinie.

W 1904 r. opisał zjawisko odcinkowego zapalenia jelit, szczególnie nasilonego w końcowym odcinku jelita krętego (*ileitis terminalis*). Chorobę tę ponownie opisali Amerykanin Burrill Bernard Crohn, Leon Ginzburg i Gordon D. Oppenheimer w 1932 r.

Literatura światowa nie uwzględnia pierwszeństwa Leśniowskiego i chorzenie to określa jako chorobę Crohna (jedynie w Polsce nosi ono nazwę choroby Leśniowskiego-Crohna).

Antoni Leśniowski jest również autorem podręcznika do chirurgii ogólnej.

Antoni Leśniowski (1867–1940) – Polish surgeon, in 1919–1936 a professor at the Medical University of Warsaw.

After graduation he continued his education in Berlin.

In 1904 he described an inflammatory bowel disease, ileitis terminalis.

The disease was re-described in 1932 by Burrill Bernard Crohn, Leon Ginzburg and Gordon D. Oppenheimer and named after B.B. Crohn (it is called Leśniowski-Crohn disease in Poland only).

Antoni Leśniowski is also an author of a surgical handbook.

Ludwik Rydygier (1850–1920) – polski lekarz, chirurg, generał Wojska Polskiego.

Studiował w Krakowie i Greifswaldzie. W 1897 r. został profesorem na Uniwersytecie Lwowskim. Był jednym z najwybitniejszych chirurgów tamtych czasów oraz autorem technik operacji żołądka i gruczołu krokowego.

Ludwik Rydygier był przeciwnikiem przyjmowania kobiet do zawodu lekarza.

Podczas I wojny światowej kierował pracą szpitala w Brnie. Po zakończeniu wojny powrócił do Lwowa. Walczył w obronie miasta przeciwko Ukraińcom.

Był współtwórcą służb sanitarno-medycznych w Wojsku Polskim.

Ludwik Rydygier (1850–1920) – Polish doctor, surgeon, general in the Polish Army.

He studied in Cracow and Greifswald. In 1897, he became a professor at the University of Lviv. He is one of the most successful surgeons of his time, author of stomach and prostate surgical techniques.

Ludwik Rydygier was against accepting women to the medical profession.

During World War I, he was the head of Brno Hospital. After the war was over, he returned to Lviv. He fought in the defence of the city against the Ukrainians.

Co-organizer of the medical corps in the Polish Army.

Andrzej Wiktor Schally *vel*. **Andrew Victor Schally** – amerykański lekarz i biochemik polskiego pochodzenia. Pochodził ze szlacheckiej rodziny, syn szefa gabinetu prezydenta Polski, Ignacego Mościckiego. W czasie II wojny światowej, we wrześniu 1939 r., wraz z prezydentem opuścił Polskę.

Był obywatelem świata, naturalizowanym Amerykaninem.

W 1977 r. otrzymał Nagrodę Nobla za odkrycie zjawiska wydzielania hormonów w podwzgórzu, badanie ich budowy i czynności, co dało początek endokrynologii.

Został wyróżniony tytułem doktora *honoris causa* przez ok. 20 uczelni.

Andrzej Wiktor Schally vel. *Andrew Victor Schally* – *Polish-born American doctor and biochemist. He was born in a noble family, a son of a general, the Chief of the Cabinet of the President of Poland Ignacy Mościcki. In September 1939, when Poland was attacked by Germany, he left the country with the President.*

A citizen of the world, naturalized citizen of the USA.

In 1977, he was awarded the Nobel Prize in Medicine for discovering the hormones of the hypothalamus and analyzing their structure and function, which set the ground for endocrinology.

Andrew Schally received an Honorary Doctorate from nearly 20 universities.

———

Maria Skłodowska-Curie (1867–1934) – była Polką i Francuzką, fizykiem i chemikiem, pierwszą osobą dwukrotnie odznaczoną Nagrodą Nobla. Zdobyła uznanie pionierskimi badaniami nad radioaktywnością. Była również prekursorką nowej gałęzi chemii – radiochemii.

Urodzona w Warszawie, wyjechała do Francji w wieku 24 lat, aby kontynuować studia. W Paryżu rozwinęła swoją karierę naukową.

W 1895 r. wyszła za mąż za fizyka Piotra Curie i wkrótce została matką Irène Joliot-Curie i Ève Curie.

Maria Skłodowska-Curie swą pierwszą Nagrodę Nobla zdobyła w 1903 r. w dziedzinie fizyki wraz z mężem Piotrem Curie i Henrim Becquerelem (w przyszłości jej córka Irène w podobny sposób dzieliła nagrodę ze swym mężem). W 1911 r. otrzymała samodzielną Nagrodę Nobla w dziedzinie chemii. Była pierwszą kobietą, która otrzymała tę prestiżową nagrodę. Pozostaje jedynym uczonym w historii uhonorowanym Nagrodą Nobla w dwóch różnych dziedzinach nauk przyrodniczych.

Do jej dokonań należą: opracowanie teorii promieniotwórczości (nazwa stworzona przez uczoną), zdefiniowanie technik rozdzielania izotopów promieniotwórczych oraz odkrycie dwóch pierwiastków – radu i polonu. Z jej inicjatywy prowadzono także pierwsze badania nad leczeniem raka z użyciem radioaktywnych izotopów. Stworzyła instytuty naukowe swojego imienia w Paryżu i Warszawie, które dotychczas są jednymi z najważniejszych ośrodków badań naukowych w dziedzinie medycyny.

Maria i Piotr Curie nie opatentowali procesu pozyskiwania radu, zapewniając następcom wolny dostęp do radu, umożliwiając dalsze badania nad tym pierwiastkiem.

Maria Skłodowska-Curie (używała obydwóch nazwisk) była lojalną obywatelką francuską, nigdy jednak nie zatraciła poczucia polskości. Nauczyła swoje córki języka polskiego i zabierała je w odwiedziny do swojej ojczyzny. Pierwszy pierwiastek chemiczny, który odkryła, nazwała polonem, aby upamiętnić Polskę będącą wówczas pod rozbiorami.

Zmarła w 1934 r. z powodu anemii złośliwej plastycznej, będącej wynikiem wieloletniego napromieniowania radem.

Dotychczas uważa się ją za jedną z najbardziej znanych kobiet naukowców w skali świata. Stała się ikoną świata nauki. W 2009 r. w głosowaniu przeprowadzonym przez czasopismo „New Scientist" Marię Skłodowską-Curie uznano za „najbardziej inspirującą kobietę nauki". Otrzymała w nim 25,1% wszystkich oddanych głosów.

Polska i Francja ogłosiły rok 2011 Rokiem Marii Skłodowskiej-Curie, a Organizacja Narodów Zjednoczonych – Międzynarodowym Rokiem Chemii.

Kiur (Ci) to nieużywana obecnie jednostka radioaktywności. Nazwę jednostce nadano ku czci małżeństwa Curie. Kiur (Cm) to pierwiastek chemiczny z liczbą atomową 96. Nazwy trzech radioaktywnych minerałów również pochodzą od nazwiska Curie: curite, sklodowskite, and cuprosklodowskite. Wiele miejsc nosi imię Marii Skłodowskiej-Curie: instytuty naukowe, uniwersytety, a także kratery na powierzchni Księżyca i Marsa.

Maria Skłodowska-Curie *(1867–1934) – Polish and French, physicist and chemist, the first person honored with two Nobel Prizes. She became famous for her pioneering research on radioactivity. She created a new branch of chemistry – radiochemistry.*

She was born in Warsaw and lived there until the age of 24. Then she moved to France to continue her studies. In Paris, she conducted her subsequent scientific work.

Maria Skłodowska-Curie married the physicist Pierre Curie in 1895 and had two daughters, Irène Joliot-Curie and Ève Curie.

She shared the 1903 Nobel Prize in Physics with her husband Pierre Curie and with the physicist Henri Becquerel. Her daughter with her husband would similarly share a Nobel Prize. Maria Skłodowska-Curie was the sole winner of the 1911 Nobel Prize in Chemistry. She was the first woman to win a Nobel Prize, and remains the only scientist to win the Nobel Prize in multiple sciences.

Her achievements included radioactivity theory (a term that she coined), techniques for isolating radioactive isotopes, and the discovery of two elements: polonium and radium. Under her direction, the world's first studies were conducted into the treatment of neoplasms using radioactive isotopes. She founded the Curie Institutes in Paris and in Warsaw, which remain major centres of medical research today.

The Curies did not patent the radium isolation process, choosing to let the scientific community freely continue research.

While an actively loyal French citizen, Marie Skłodowska-Curie (she used both surnames) never lost her sense of Polish identity. She taught her daughters the Polish language and took them on visits to her motherland. She named the first chemical element that she discovered – polonium, after the patritioned Poland.

Maria Skłodowska-Curie died in 1934 of aplastic anemia brought on by her years of exposure to radiation.

She is one of the most famous female scientists to date and has become an icon in the scientific world. In a 2009 poll carried out by New Scientist, Maria Sklodowska-Curie was voted the "most inspirational woman in science". She received 25.1% of all votes cast.

Poland and France declared 2011 the Year of Marie Curie, and the United Nations declared that it would be the International Year of Chemistry.

The curie (symbol Ci), a unit of radioactivity, is named in honour of her and Pierre. The element with atomic number 96 was named curium. Three radioactive minerals are also named after the Curies: curite, sklodowskite, and cuprosklodowskite. Several institutions bear her name such as scientific centres and universities. Numerous locations around the world are named after her, including craters on the Moon and Mars.

Rudolf Stefan Jan Weigl (1883–1957) – polski biolog, wynalazca pierwszej w świecie skutecznej szczepionki przeciw tyfusowi plamistemu; jako pierwszy użył owadów jako zwierząt doświadczalnych. Urodzony w austriackiej rodzinie, wychowany w polskiej tradycji kulturowej.

Podczas I wojny światowej był lekarzem wojskowym. Światową sławę przyniosły mu szczepienia prowadzone w Chinach i Etiopii przed wybuchem II wojny światowej.

Po rosyjskiej agresji na Polskę 17 września 1939 r. pozostał we Lwowie, gdzie produkował szczepionkę przeciwko tyfusowi, na którą Sowieci mieli ogromne zapotrzebowanie.

Gdy miasto przeszło w ręce niemieckie, Weigl kontynuował produkcję szczepionki, odmawiając podpisania dokumentów przyznających mu obywatelstwo niemieckie. Zatrudniał naukowców i miejscową ludność, ratując wielu przed zagładą.

Po wojnie pracował w Krakowie i Poznaniu, wytwarzając szczepionkę przeciwko tyfusowi. Był represjonowany przez władze komunistyczne, oskarżany o kolaborację z okupantem.

W latach 1942 i 1948 otrzymał nominacje do Nagrody Nobla. Obie nominacje zostały zablokowane, pierwsza przez okupacyjną władzę niemiecką, a kolejna przez sowiecką.

Rudolf Stefan Jan Weigl *(1883–1957) – Polish biologist, inventor of the world's first effective vaccine against typhus. He was the first scientist to use insects as experimental animals. Born in an Austrian family, brought up in Polish tradition.*

During World War I, he served as a military physician. His worldwide fame was a result of the effective vaccination he conducted in China and Ethiopia shortly before World War II broke out.

After Russian aggression on September 17 1939, he stayed in Lviv and continued the production of vaccine, which was required in large amounts by the Soviets.

When Lviv was taken by the Germans, he continued with vaccine production, refusing to sign documents giving him German citizenship. He employed numerous scientists and locals protecting them from certain death.

After the war, he worked in Cracow and Poznan manufacturing the typhus vaccine. He was repressed by commmunists and accused of collaboration.

Weigl was twice a Nobel Prize nominee, in 1942 and 1948. Both nominations were blocked: first by German, second – by Soviet authorities.

Maria Elizabeth Zakrzewska (1829–1902) – lekarka polskiego pochodzenia, zaangażowana feministka i abolicjonistka. Pierwsza kobieta w Stanach Zjednoczonych, która uzyskała stopień doktora medycyny.

Ukończyła szkołę medyczną w Cleveland. W 1862 r. utworzyła New England Hospital dla kobiet i dzieci, będący rewolucyjną zmianą w ówczesnym czasie. Był to pierwszy szpital połączony ze szkołą dla pielęgniarek i druga placówka w Stanach Zjednoczonych prowadzona jedynie przez kobiety.

Maria E. Zakrzewska była pionierką zatrudniania czarnoskórych kobiet jako pielęgniarek.

Maria Elizabeth Zakrzewska (1829–1902) – doctor of Polish descent, active feminist, abolitionist. The first woman with a doctor of medicine title in the USA.

She graduated from a medical school in Cleveland. In 1862 she founded the New England Hospital, dedicated to women and children, which was a revolutionary innovation – it was the first hospital with a nursing school and the second hospital to be run by women only in the USA.

She was a pioneer in employing black women in the nursing profession.

Ludwik Zamenhof (1859–1917) – Żyd polskiego pochodzenia. Światowej sławy lingwista i lekarz.

Specjalizował się w okulistyce, światowy rozgłos jednak przyniosło mu stworzenie nowego, międzynarodowego języka – esperanto. Zamenhof wierzył, że umożliwi on prowadzenie dialogu między narodami, niezależnie od różnic kulturowych, niechęci i uprzedzeń.

Esperanto jest daleko posuniętą modyfikacją łaciny. Niestety, język ten nie upowszechnił się w szerokim gronie odbiorców, nadal jednak jest on przedmiotem badań i posługuje się nim około 8 mln ludzi.

W 1913 r. Ludwika Zamenhofa nominowano do Nagrody Nobla.

Ludwik Zamenhof (1859–1917) – Polish Jew, world-famous physician and skilled linguist.

He specialized in ophthalmology. However, he became famous for inventing Esperanto – an international language.

He hoped that Esperanto would bring understanding between all the people across the world, notwithstanding national distinctions and cultural diversity.

Esperanto was essentially modified Latin. Unfortunatelly, Esperanto has failed to become a wide-spread language. However, a lot of research is still being done on it and there are 8 million speakers worldwide.

In 1913 he was nominated for the Nobel Prize.